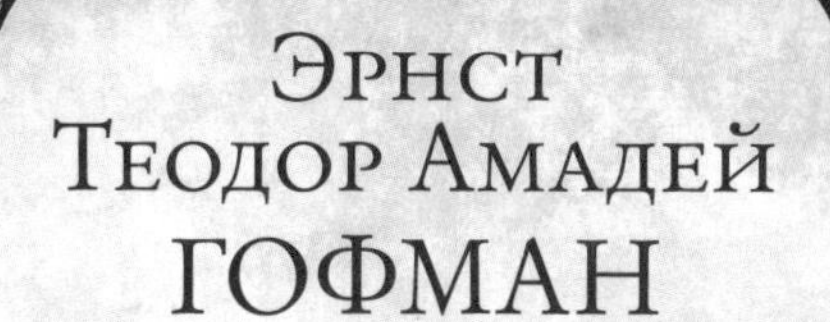

Эрнст
Теодор Амадей
Гофман

Щелкунчик
и мышиный король

Сказка

Перевод с немецкого
И. Татариновой

Иллюстрации
Роберта Ингпена

Москва
«Махаон»
2016

УДК 821.112.2-34-93
ББК 84(4Гем)
Г57

Ernst Theodor Amadeus Hoffmann
Nußknacker und Mausekönig
1816

Вступительная статья и текст от художника
в переводе *А. Глебовской*

Гофман Э.Т.А.

Г57 Щелкунчик и мышиный король: сказка / Э.Т.А. Гофман ; пер. с нем. И. Татариновой ; худож. Р. Ингпен. – М. : Махаон, Азбука-Аттикус, 2016. – 144 с. : ил.

ISBN 978-5-389-11037-3

Рождественская история немецкого романтика XIX века Э. Т. А. Гофмана «Щелкунчик» радует и восхищает не одно поколение детей и взрослых. Даже спустя 200 лет – ведь именно столько прошло с момента её первой публикации (1816) – она будоражит наше воображение. Несмотря на сказочность повествования, автор впервые изображает реальность эпохи, а не какой-то неведомый вымышленный мир. Когда-то история живых людей и оживших игрушек и трогательная любовь юной Мари к бедному Щелкунчику вдохновила на создание одноимённого балета и великого русского композитора П.И. Чайковского. Уникальность издания ещё и в том, что в нём представлена полная версия гофмановской сказки.

УДК 821.112.2-34-93
ББК 84(4Гем)

ISBN 978-5-389-11037-3 (рус.)
ISBN 978-1-783-70184-1(англ.)

Содержание

200-летие «Щелкунчика»

Э. Т. А. Гофман родился в Пруссии, в городе Кёнигсберге (теперь это российский Калининград), и при крещении получил имя Эрнст Теодор Вильгельм. Когда он был совсем маленьким, родители его расстались, и воспитывал мальчика дядя. Гофман получил юридическое образование, работал сперва в Кёнигсберге, потом в Глогау и в Берлине; он оставался на государственной службе, пока в 1806 году Пруссия не была завоёвана Наполеоном: всех прусских чиновников, отказавшихся принести клятву верности новому правителю, со службы уволили; среди них был и Гофман.

Но больше всего Гофмана интересовала музыка; он даже поменял одно из своих имён, Вильгельм, на Амадей – в честь Моцарта. В молодости он давал уроки музыки и писал о ней статьи, а после увольнения со службы перебрался в Берлин в надежде стать профессиональным музыкантом. Он занимал разные должности в театре города Бамберга – был там композитором, заместителем директора и дирижёром, потом работал дирижёром в Дрездене, где даже сочинил оперу «Ундина». Писать книги он начал только после тридцати лет, в надежде заработать немного денег. Как автор четырёх романов и примерно пятидесяти повестей и рассказов, он стал одним из самых известных, любимых и влиятельных литераторов своего времени.

Нам лучше всего знакома его сказка «Щелкунчик и мышиный король», которая является частью большого произведения «Серапионовы братья», опубликованного в 1816 году. Это роман про молодых людей, любителей искусства, которые собираются вместе и рассказывают друг другу разные истории. Название своему клубу они выбрали в память о своей первой встрече – в День святого Серапиона; членом такой группы Гофман был и на самом деле. «Щелкунчик и мышиный король» – одна из новелл этой книги. Лотар, рассказчик, говорит, что написал её для детей своей сестры. Считается, что и Гофман придумал эту историю для сына и дочери своего друга Юлиуса Хитцига – кстати, у детей были те же имена, что и у героев нашей сказки: Фриц и Мари. Когда Лотар закончил свой рассказ, друзья заспорили – по их мнению, его история оказалась слишком сложна для маленьких читателей. В ней действительно есть мрачные персонажи – например, злобный мышиный король и загадочный Дроссельмейер. В произведениях Гофмана часто встречались странные, жутковатые вещи, однако авторское чувство юмора неизменно помогало их смягчить, и детям очень нравились волшебные изобретения Дроссельмейера и его игрушечное королевство. Творчество Гофмана вдохновило многих композиторов – это и понятно, ведь он сам очень интересовался музыкой. Балет «Коппелия» Лео Делиба основан на двух его новеллах, а в опере Оффенбаха «Сказки Гофмана» на сцене даже появляется сам писатель. А «Щелкунчик» конечно же обязан своей громкой славой знаменитому балету Чайковского, который показывают по всему миру на Рождество – хотя на самом деле между сюжетом сказки Гофмана и сюжетом балета довольно много расхождений. Дело в том, что французский писатель Александр Дюма-отец, автор «Трёх мушкетёров», в своё время пересказал «Щелкунчика», смягчив самые мрачные и пугающие подробности. В наше время эту сказку обычно переводят с большими сокращениями, а то и просто дают в упрощённом варианте, и почти всегда исключают историю о твёрдом орехе, которую крёстный Мари Дроссельмейер рассказывает девочке, когда та болеет и лежит в постели.

В этой книге вы прочитаете перевод полного текста и увидите, как сказка вплетается в обрамляющее её повествование. Э. Т. А. Гофмана часто считают одним из основателей фантастической литературы для детей, он очень сильно повлиял на её становление. «Щелкунчика» принято считать новаторским для своего времени произведением, потому что автор впервые изобразил в сказке реальность эпохи, а не неведомый вымышленный мир. Очень интересно следить, как фрагменты волшебства проникают в наше привычное повседневное существование; в этой книге читатель увидит, что английский писатель К. С. Льюис был не первым, кто отправил своих маленьких героев в волшебное королевство через дверцу обыкновенного платяного шкафа.

От иллюстратора

Когда я работаю над иллюстрациями к очередному классическому произведению детской литературы, я пытаюсь докопаться до самых глубин, понять замысел автора, выявить, как именно построено повествование. Первым делом я всегда делаю «раскладку» – разбиваю историю на слова и картинки, главы и страницы. Получаются миниатюрные макеты каждой страницы, их можно разложить и понять, как будет выглядеть книга, уместится ли она в предполагаемый объем. Это первый этап долгого процесса иллюстрирования детской классики. До того как я начал работать над «Щелкунчиком и мышиным королём», я уже проиллюстрировал тринадцать таких книг, и мне всегда хватало одной раскладки. Но для этой пришлось делать две. С первого раза мне не удалось проникнуть в суть сложного замысла, по которому построил свой рассказ Э. Т. А. Гофман. Несколько месяцев спустя я вернулся к работе и сделал вторую раскладку, более удачную. Конечно, живи автор в наше время, я лучше бы понял его намерения, однако надеюсь, что ему пришлось бы по душе то, как мне удалось совместить его фантазии и немного потустороннюю реальность его повествования.

Роберт Ингпен

ГЛАВА 1

Ёлка

Двадцать четвёртого декабря детям советника медицины Штальбаума весь день не разрешалось входить в проходную комнату, а уж в смежную с ней гостиную их совсем не пускали. В спальне, прижавшись друг к другу, сидели в уголке Фриц и Мари. Уже совсем стемнело, и им было очень страшно, потому что в комнату не внесли лампы, как это и полагалось в сочельник. Фриц таинственным шёпотом сообщил сестрёнке (ей только что минуло семь лет), что с самого утра в запертых комнатах чем-то шуршали, шумели и тихонько постукивали. А недавно через прихожую прошмыгнул маленький тёмный человечек с большим ящиком под мышкой; но Фриц наверное знает, что это их крёстный, Дроссельмейер. Тогда Мари захлопала от радости в ладоши и воскликнула:

– Ах, что-то смастерил нам на этот раз крёстный?!

Старший советник суда Дроссельмейер не отличался красотой: это был маленький, сухонький человечек с морщинистым лицом, с большим чёрным пластырем вместо правого глаза и совсем лысый, почему он и носил красивый белый парик; а парик этот был сделан из стекла, и притом чрезвычайно искусно. Крёстный сам был великим искусником, он даже знал толк в часах и даже умел их делать. Поэтому, когда у Штальбаумов начинали капризничать и переставали петь какие-нибудь часы, всегда приходил крёстный Дроссельмейер, снимал стеклянный парик, стаскивал жёлтенький сюртучок, повязывал голубой передник и тыкал часы колючими инструментами, так что маленькой Мари было их очень жалко; но вреда часам он не причинял, наоборот – они снова оживали и сейчас же принимались весело тик-тикать, звонить и петь, и все этому очень радовались. И всякий раз у крёстного в кармане находилось что-нибудь занимательное для ребят: то человечек, ворочающий глазами и шаркающий ножкой, так что на него нельзя смотреть без смеха, то коробочка, из которой выскакивает птичка, то ещё какая-нибудь штучка. А к Рождеству он всегда мастерил красивую, затейливую игрушку, над которой много трудился. Поэтому родители тут же заботливо убирали его подарок.

– Ах, что-то смастерил нам на этот раз крёстный?! – воскликнула Мари.

Фриц решил, что в нынешнем году это непременно будет крепость, а в ней будут маршировать и выкидывать артикулы прехорошенькие нарядные солдатики, а потом появятся другие солдатики и пойдут на приступ, но те солдаты, что в крепости, отважно выпалят в них из пушек, и поднимется шум и грохот.

– Нет, нет, – перебила Фрица Мари, – крёстный рассказывал мне о прекрасном саде. Там большое озеро, по нему плавают чудо какие красивые лебеди с золотыми ленточками на шее и распевают красивые песни. Потом из сада выйдет девочка, подойдёт к озеру, приманит лебедей и будет кормить их сладким марципаном...

– Лебеди не едят марципана, – не очень вежливо перебил её Фриц, – а целый сад крёстному и не сделать. Да и какой толк нам от его игрушек? У нас тут же их отбирают. Нет, мне куда больше нравятся папины и мамины подарки: они остаются у нас, мы сами ими распоряжаемся.

И вот дети принялись гадать, что им подарят родители. Мари сказала, что мамзель Трудхен (её большая кукла) совсем испортилась:

она стала такой неуклюжей, то и дело падает на пол, так что у неё теперь всё лицо в противных отметинах, а уж водить её в чистом платье нечего и думать. Сколько ей ни выговаривай, ничего не помогает. И потом, мама улыбнулась, когда Мари так восхищалась Гретиным зонтичком. Фриц же уверял, что у него в придворной конюшне как раз не хватает гнедого коня, а в войсках маловато кавалерии. Папе это хорошо известно.

Итак, дети отлично знали, что родители накупили им всяких чудесных подарков и сейчас расставляют их на столе; но в то же время они не сомневались, что добрый младенец Христос осиял всё своими ласковыми и кроткими глазами и что рождественские подарки, словно тронутые Его благостной рукой, доставляют больше радости, чем все другие. Про это напомнила детям, которые без конца шушукались об ожидаемых подарках, старшая сестра Луиза, прибавив, что младенец Христос всегда направляет руку родителей и детям дарят то, что доставляет им истинную радость и удовольствие;

а об этом Он знает гораздо лучше самих детей, которые поэтому не должны ни о чём ни думать, ни гадать, а спокойно и послушно ждать, что им подарят. Сестрица Мари призадумалась, а Фриц пробормотал себе под нос: «А всё-таки мне бы хотелось гнедого коня и гусаров».

Совсем стемнело. Фриц и Мари сидели, крепко прижавшись друг к другу, и не смели проронить ни слова; им чудилось, будто над ними веют тихие крылья и издалека доносится прекрасная музыка. Светлый луч скользнул по стене, тут дети поняли, что младенец Христос отлетел на сияющих облаках к другим счастливым детям. И в то же мгновение прозвучал тонкий серебряный колокольчик: «Динь-динь-динь-динь!» Двери распахнулись, и ёлка засияла таким блеском, что дети с громким криком: «Ах, ах!» – замерли на пороге. Но папа и мама подошли к двери, взяли детей за руки и сказали:

– Идёмте, идёмте, милые детки, посмотрите, чем одарил вас младенец Христос!

ГЛАВА 2

Подарки

Я обращаюсь непосредственно к тебе, благосклонный читатель или слушатель, – Фриц, Теодор, Эрнст, всё равно, как бы тебя ни звали, – и прошу как можно живее вообразить себе рождественский стол, весь заставленный чу́дными пёстрыми подарками, которые ты получил в нынешнее Рождество, – тогда тебе нетрудно будет понять, что дети, обомлев от восторга, замерли на месте и смотрели на всё сияющими глазами. Только минуту спустя Мари глубоко вздохнула и воскликнула:

– Ах, как чу́дно, ах, как чу́дно!

А Фриц несколько раз высоко подпрыгнул, на что был большой мастер. Уж наверно, дети весь год были добрыми и послушными, потому что ещё ни разу они не получали таких чудесных, красивых подарков, как сегодня.

Большая ёлка посреди комнаты была увешана золотыми и серебряными яблоками, а на всех ветках, словно цветы или бутоны, росли обсахаренные орехи, пёстрые конфеты и вообще всякие сласти. Но больше всего украшали чудесное дерево сотни маленьких свечек, которые, как звёздочки, сверкали в густой зелени, и ёлка, залитая огнями и озарявшая всё вокруг, так и манила сорвать растущие на ней цветы и плоды. Вокруг дерева всё пестрело и сияло.

И чего там только не было! Не знаю, кому под силу это описать!.. Мари увидела нарядных кукол, хорошенькую игрушечную посуду, но больше всего обрадовало её шёлковое платьице, искусно отделанное цветными лентами и висевшее так, что Мари могла любоваться им со всех сторон; она и любовалась им всласть, то и дело повторяя:

– Ах, какое красивое, какое милое, милое платьице! И мне позволят, наверное позволят, в самом деле позволят его надеть!

Фриц тем временем уже три или четыре раза галопом и рысью проскакал вокруг стола на новом гнедом коне, который, как он и предполагал, стоял на привязи у стола с подарками. Слезая, он сказал, что конь – лютый зверь, но ничего: уж он его вышколит. Потом он произвёл смотр новому эскадрону гусар; они были одеты в великолепные красные мундиры, шитые золотом, размахивали серебряными саблями и сидели на таких белоснежных конях, что можно было подумать, будто и кони тоже из чистого серебра.

Только что дети, немного угомонившись, хотели взяться за книжки с картинками, лежавшие раскрытыми на столе, чтобы можно было любоваться разными замечательными цветами, пёстро раскрашенными людьми и хорошенькими играющими детками, так натурально изображёнными, будто они и впрямь живые и вот-вот заговорят, – так вот, только что дети хотели взяться за чудесные книжки, как опять прозвенел колокольчик. Дети знали, что теперь черёд подаркам крёстного Дроссельмейера, и подбежали к столу, стоявшему у стены. Ширмы, за которыми до тех пор был скрыт стол, быстро убрали. Ах, что увидели дети! На зелёной, усеянной цветами лужайке стоял замечательный замок со множеством зеркальных окон и золотых башен. Заиграла музыка, двери и окна распахнулись, и все увидели, что в залах прохаживаются крошечные, но очень изящно сделанные кавалеры и дамы в шляпах с перьями и в платьях с длинными шлейфами. В центральном зале, который так весь и сиял (столько свечек горело в серебряных люстрах!), под музыку плясали дети в коротких камзольчиках и юбочках. Господин в изумрудно-зелёном плаще выглядывал из окна, раскланивался и снова прятался, а внизу, в дверях замка, появлялся и снова уходил

крёстный Дроссельмейер, только ростом он был с папин мизинец, не больше.

Фриц положил локти на стол и долго рассматривал чудесный замок с танцующими и прохаживающимися человечками. Потом он попросил:

– Крёстный, а крёстный! Пусти меня к себе в замок!

Старший советник суда сказал, что этого никак нельзя. И он был прав: со стороны Фрица глупо было проситься в замок, который вместе со всеми своими золотыми башнями был меньше его. Фриц согласился. Прошла ещё минутка, в замке всё так же прохаживались кавалеры и дамы, танцевали дети, выглядывал всё из того же окна изумрудный человечек, а крёстный Дроссельмейер подходил всё к той же двери.

Фриц в нетерпении воскликнул:

– Крёстный, а теперь выйди из той, другой, двери!

– Никак этого нельзя, милый Фрицхен, – возразил старший советник суда.

– Ну тогда, – продолжал Фриц, – вели зелёному человечку, что выглядывает из окна, погулять с другими по залам.

– Этого тоже никак нельзя, – снова возразил старший советник суда.

– Ну тогда пусть спустятся вниз дети! – воскликнул Фриц. – Мне хочется получше их рассмотреть.

– Ничего этого нельзя, – сказал старший советник суда раздражённым тоном. – Механизм сделан раз навсегда, его не переделаешь.

– Ах, та-ак! – протянул Фриц. – Ничего этого нельзя... Послушай, крёстный, раз нарядные человечки в замке только и знают, что повторять одно и то же, так что в них толку? Мне они не нужны. Нет, мои гусары куда лучше! Они маршируют вперёд, назад, как мне вздумается, и не заперты в доме.

И с этими словами он убежал к рождественскому столу, и по его команде эскадрон на серебряных конях начал скакать туда и сюда – по всем направлениям, рубить саблями и стрелять сколько душе угодно. Мари тоже потихоньку отошла: и ей тоже наскучили танцы и гулянье куколок в замке. Только она постаралась сделать это незаметно, не так, как братец Фриц, потому что она была доброй и послушной девочкой. Старший советник суда сказал недовольным тоном родителям:

– Такая замысловатая игрушка не для неразумных детей. Я заберу свой замок.

Но тут мать попросила показать ей внутреннее устройство и удивительный, очень искусный механизм, приводивший в движение человечков. Дроссельмейер разобрал и снова собрал всю игрушку. Теперь он опять повеселел и подарил детям несколько красивых коричневых человечков, у которых были золотые лица, руки и ноги; все они были из Торна и превкусно пахли пряниками. Фриц и Мари очень им обрадовались. Старшая сестра Луиза, по желанию матери, надела подаренное родителями нарядное платье, которое ей очень шло; а Мари попросила, чтоб ей позволили, раньше чем надевать новое платье, ещё немножко полюбоваться на него, что ей охотно разрешили.

ГЛАВА 3

Любимец

А на самом деле Мари потому не отходила от стола с подарками, что только сейчас заметила что-то, чего раньше не видела: когда выступили гусары Фрица, до того стоявшие в строю у самой ёлки, очутился на виду замечательный человечек. Он вёл себя тихо и скромно, словно спокойно ожидая, когда дойдёт очередь и до него. Правда, он был не очень складный: чересчур длинное и плотное туловище на коротеньких и тонких ножках, да и голова тоже как будто великовата. Зато по щегольской одежде сразу было видно, что это человек благовоспитанный и со вкусом. На нём был очень красивый блестящий фиолетовый гусарский доломан, весь в пуговичках и позументах, такие же рейтузы и столь щегольские сапожки, что едва ли доводилось носить подобные и офицерам, а тем паче студентам; они сидели на субтильных ножках так ловко, будто были на них нарисованы. Конечно, нелепо было, что при таком костюме он прицепил на спину узкий неуклюжий плащ, словно выкроенный из дерева, а на голову нахлобучил шапчонку рудокопа, но Мари подумала: «Ведь крёстный Дроссельмейер тоже ходит в прескверном рединготе и в смешном колпаке, но это не мешает ему быть милым, дорогим крёстным». Кроме того, Мари пришла к заключению, что крёстный, будь он даже таким же щёголем, как человечек, всё же

никогда не сравняется с ним по миловидности. Внимательно вглядываясь в славного человечка, который полюбился ей с первого же взгляда, Мари заметила, каким добродушием светилось его лицо. Зеленоватые навыкате глаза смотрели приветливо и доброжелательно. Человечку очень шла тщательно завитая борода из белой бумажной штопки, окаймлявшая подбородок, – ведь так заметнее выступала ласковая улыбка на его алых губах.

– Ах! – воскликнула наконец Мари. – Ах, милый папочка, для кого этот хорошенький человечек, что стоит под самой ёлкой?

– Он, милая деточка, – ответил отец, – будет усердно трудиться для всех вас: его дело – аккуратно разгрызать твёрдые орехи, и куплен он и для Луизы, и для тебя с Фрицем.

С этими словами отец бережно взял его со стола, приподнял деревянный плащ, и тогда человечек широко-широко разинул рот и оскалил два ряда очень белых острых зубов. Мари всунула ему в рот орех, и – щёлк! – человечек разгрыз его, скорлупа упала, и у Мари на ладони очутилось вкусное ядрышко. Теперь уже все – и Мари тоже – поняли, что нарядный человечек вёл свой род от Щелкунчиков и продолжал профессию предков. Мари громко вскрикнула от радости, а отец сказал:

– Раз тебе, милая Мари, Щелкунчик пришёлся по вкусу, так ты уж сама и заботься о нём, и береги его, хотя, как я уже сказал, и Луиза и Фриц тоже могут пользоваться его услугами.

Мари сейчас же взяла Щелкунчика и дала ему грызть орехи, но она выбирала самые маленькие, чтобы человечку не приходилось слишком широко разевать рот, так как это, по правде сказать, его не красило. Луиза присоединилась к ней, и любезный друг Щелкунчик потрудился и для неё; казалось, он выполнял свои обязанности с большим удовольствием, потому что неизменно приветливо улыбался.

Фрицу тем временем надоело скакать на коне и маршировать. Когда он услыхал, как весело щёлкают орешки, ему тоже захотелось их отведать. Он подскочил к сёстрам и от всего сердца расхохотался при виде потешного человечка, который теперь переходил из рук в руки и неустанно разевал и закрывал рот. Фриц совал ему самые

большие и твёрдые орехи, но вдруг раздался треск – крак-крак! – три зуба выпали у Щелкунчика изо рта и нижняя челюсть отвисла и зашаталась.

– Ах, бедный, милый Щелкунчик! – закричала Мари и отобрала его у Фрица.

– Что за дурак! – сказал Фриц. – Берётся орехи щёлкать, а у самого зубы никуда не годятся. Верно, он и дела своего не знает. Дай его сюда, Мари! Пусть щёлкает мне орехи. Не беда, если и остальные зубы обломает, да и всю челюсть в придачу. Нечего с ним, бездельником, церемониться!

– Нет, нет! – с плачем закричала Мари. – Не отдам я тебе моего милого Щелкунчика. Посмотри, как жалостно глядит он на меня и показывает свой больной ротик! Ты злой: ты бьёшь своих лошадей и даже позволяешь солдатам убивать друг друга.

– Так полагается, тебе этого не понять! – крикнул Фриц. – А Щелкунчик не только твой, он и мой тоже. Давай его сюда!

Мари разрыдалась и поскорее завернула больного Щелкунчика в носовой платок. Тут подошли родители с крёстным Дроссельмейером. К огорчению Мари, он принял сторону Фрица. Но отец сказал:

– Я нарочно отдал Щелкунчика на попечение Мари. А он, как я вижу, именно сейчас особенно нуждается в её заботах, так пусть уж она одна им и распоряжается и никто в это дело не вмешивается. Вообще меня очень удивляет, что Фриц требует дальнейших услуг от пострадавшего на службе. Как настоящий военный, он должен знать, что раненых никогда не оставляют в строю.

Фриц очень сконфузился и, оставив в покое орехи и Щелкунчика, тихонько перешёл на другую сторону стола, где его гусары, выставив, как полагается, часовых, расположились на ночлег. Мари подобрала выпавшие у Щелкунчика зубы; пострадавшую челюсть она подвязала красивой белой ленточкой, которую отколола от своего платья, а потом ещё заботливее укутала платком бедного человечка, побледневшего и, видимо, напуганного. Баюкая его, как маленького ребёнка, она принялась рассматривать красивые картинки в новой книге, которая лежала среди других подарков.

Она очень рассердилась, хотя это было совсем на неё не похоже, когда крёстный стал смеяться над тем, что она нянчится с таким уродцем. Тут она опять подумала о странном сходстве с Дроссельмейером, которое отметила уже при первом взгляде на человечка, и очень серьёзно сказала:

– Как знать, милый крёстный, как знать, был бы ты таким же красивым, как мой милый Щелкунчик, даже если бы принарядился не хуже его и надел такие же щегольские, блестящие сапожки.

Мари не могла понять, почему так громко рассмеялись родители, и почему у старшего советника суда так зарделся нос, и почему он теперь не смеётся вместе со всеми. Верно, на то были свои причины.

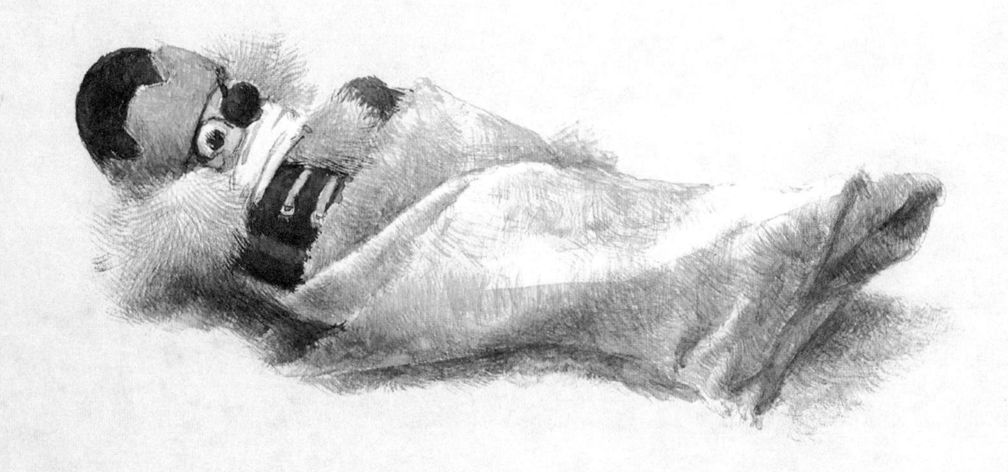

ГЛАВА 4

Чудеса

Как только войдёшь к Штальбаумам в гостиную, тут, сейчас же у двери налево, у широкой стены, стоит высокий стеклянный шкаф, куда дети убирают прекрасные подарки, которые получают каждый год. Луиза была ещё совсем маленькой, когда отец заказал шкаф очень умелому столяру, а тот вставил в него такие прозрачные стёкла и вообще сделал всё с таким умением, что в шкафу игрушки выглядели, пожалуй, даже ещё ярче и красивее, чем когда их брали в руки. На верхней полке, до которой Мари с Фрицем было не добраться, стояли замысловатые изделия господина Дроссельмейера; следующая была отведена под книжки с картинками; две нижние полки Мари и Фриц могли занимать, чем им угодно. И всегда выходило так, что Мари устраивала на нижней полке кукольную комнату, а Фриц над ней расквартировывал свои войска. Так случилось и сегодня. Пока Фриц расставлял наверху гусар, Мари отложила внизу к сторонке мамзель Трудхен, посадила новую нарядную куклу в отлично обставленную комнату и напросилась к ней на угощение. Я сказал, что комната была отлично обставлена, и это правда; не знаю, есть ли у тебя, моя внимательная слушательница Мари, так же как у маленькой Штальбаум – ты уже знаешь, что её тоже зовут Мари, – так вот я говорю, что не знаю, есть ли у тебя, так же как у неё, пёстрый диванчик, несколько прехорошеньких стульчиков, очаровательный столик, а главное, нарядная, блестящая кроватка, на которой спят самые красивые на свете куклы, – всё это стояло в уголке в шкафу, стенки которого в этом месте были даже оклеены цветными картинками, и ты легко поймёшь, что новая кукла, которую, как в этот вечер узнала Мари, звали Клерхен, чувствовала себя здесь прекрасно.

Был уже поздний вечер, приближалась полночь, и крёстный Дроссельмейер давно ушёл, а дети всё ещё не могли оторваться от стеклянного шкафа, как мама ни уговаривала их идти спать.

– Правда, – воскликнул наконец Фриц, – беднягам (он имел в виду своих гусар) тоже пора на покой, а в моём присутствии никто из них не посмеет клевать носом, в этом уж я уверен!

И с этими словами он ушёл. Но Мари умильно просила:

– Милая мамочка, позволь мне побыть здесь ещё минуточку, одну только минуточку! У меня так много дел, вот управлюсь и сейчас же лягу спать...

Мари была очень послушной, разумной девочкой, и потому мама могла спокойно оставить её ещё на полчасика одну с игрушками. Но чтобы Мари, заигравшись новой куклой и другими занимательными игрушками, не позабыла погасить свечи, горевшие вокруг шкафа, мама все их задула, так что в комнате осталась только лампа, висевшая посреди потолка и распространявшая мягкий, уютный свет.

– Не засиживайся долго, милая Мари. А то тебя завтра не добудишься, – сказала мама, уходя в спальню.

Как только Мари осталась одна, она сейчас же приступила к тому, что уже давно лежало у неё на сердце, хотя она, сама не зная почему, не решилась признаться в задуманном даже матери. Она всё ещё баюкала укутанного в носовой платок Щелкунчика. Теперь она бережно положила его на стол, тихонько развернула платок и осмотрела раны. Щелкунчик был очень бледен, но улыбался так жалостно и ласково, что тронул Мари до глубины души.

– Ах, Щелкунчик, миленький, – зашептала она, – пожалуйста, не сердись, что Фриц сделал тебе больно: он ведь не нарочно. Просто

он огрубел от суровой солдатской жизни, а так он очень хороший мальчик, уж поверь мне! А я буду беречь тебя и заботливо выхаживать, пока ты совсем не поправишься и не повеселеешь. Вставить же тебе крепкие зубки, вправить плечи – это уж дело крёстного Дроссельмейера: он на такие штуки мастер...

Однако Мари не успела договорить. Когда она упомянула имя Дроссельмейера, Щелкунчик вдруг скорчил злую мину, и в глазах у него сверкнули колючие зелёные огоньки. Но в ту минуту, когда Мари собралась уже по-настоящему испугаться, на неё опять глянуло жалобно улыбающееся лицо доброго Щелкунчика, и теперь она поняла, что черты его исказил свет мигнувшей от сквозняка лампы.

– Ах, какая я глупая девочка, ну чего я напугалась и даже подумала, будто деревянная куколка может корчить гримасы! А всё-таки я очень люблю Щелкунчика: ведь он такой потешный и такой добренький... Вот и надо за ним ухаживать как следует.

С этими словами Мари взяла своего Щелкунчика на руки, подошла к стеклянному шкафу, присела на корточки и сказала новой кукле:

– Очень прошу тебя, мамзель Клерхен, уступи свою постельку бедному больному Щелкунчику, а сама переночуй как-нибудь на диване. Подумай, ты ведь такая крепкая, и потом, ты совсем здорова – ишь какая ты круглолицая и румяная. Да и не у всякой, даже очень красивой куклы есть такой мягкий диван!

Мамзель Клерхен, разряженная по-праздничному и важная, надулась, не проронив ни слова.

– И чего я церемонюсь! – сказала Мари, сняла с полки кровать, бережно и заботливо уложила туда Щелкунчика, обвязала ему пострадавшие плечики очень красивой ленточкой, которую носила вместо кушака, и накрыла его одеялом по самый нос.

«Только незачем ему здесь оставаться у невоспитанной Клары», – подумала она и переставила кроватку вместе с Щелкунчиком на верхнюю полку, где он очутился около красивой деревни, в которой были расквартированы гусары Фрица. Она заперла шкаф и собралась уже уйти в спальню, как вдруг… слушайте внимательно, дети!.. как вдруг во всех углах – за печью, за стульями, за шкафами – началось тихое-тихое шушуканье, перешёптывание и шуршание. А часы на стене зашипели, захрипели всё громче и громче, но никак не могли пробить двенадцать. Мари глянула туда: большая золочёная сова, сидевшая на часах, свесила крылья, совсем заслонила ими часы и вытянула вперёд противную кошачью голову с кривым клювом. А часы хрипели громче и громче, и Мари явственно расслышала:

– Тик-и-так, тик-и-так! Не хрипите громко так! Слышит всё король мышиный. Трик-и-трак, бум-бум! Ну, часы, напев старинный! Трик-и-трак, бум-бум! Ну, пробей, пробей, звонок: королю подходит срок!

И… бим-бом, бим-бом! – часы глухо и хрипло пробили двенадцать ударов. Мари очень струсила и чуть не убежала со страху, но тут она увидела, что на часах вместо совы сидит крёстный Дроссельмейер, свесив полы своего жёлтого сюртука по обеим сторонам, словно крылья. Она собралась с духом и громко крикнула плаксивым голосом:

– Крёстный, послушай, крёстный, зачем ты туда забрался? Слезай вниз и не пугай меня, гадкий крёстный!

Но тут отовсюду послышалось странное хихиканье и писк, и за стеной пошли беготня и топот, будто от тысячи крошечных лапок, и тысячи крошечных огонёчков глянули сквозь щели в полу. Но это были не огоньки – нет, а маленькие блестящие глазки, и Мари увидела, что отовсюду выглядывают и выбираются из-под пола мыши. Вскоре по всей комнате пошло: топ-топ, хоп-хоп! Всё ярче светились глаза мышей, всё несметнее становились их полчища; наконец они выстроились в том же порядке, в каком Фриц обычно выстраивал

своих солдатиков перед боем. Мари это очень насмешило; у неё не было врождённого отвращения к мышам, как у иных детей, и страх её совсем было улёгся, но вдруг послышался такой ужасный и пронзительный писк, что у неё по спине забегали мурашки. Ах, что она увидела! Нет, право же, уважаемый читатель Фриц, я отлично знаю, что у тебя, как и у мудрого, отважного полководца Фрица Штальбаума, бесстрашное сердце, но если бы ты увидел то, что предстало взорам Мари, право, ты бы удрал. Я даже думаю, ты бы шмыгнул в постель и без особой надобности натянул бы одеяло по самые уши. Ах, бедная Мари не могла этого сделать, потому что – вы только послушайте, дети! – к самым ногам её, словно от подземного толчка, дождём посыпались песок, извёстка и осколки кирпича, и из-под пола с противным шипением и писком вылезли семь мышиных голов в семи ярко сверкающих коронах. Вскоре выбралось целиком и всё туловище, на котором сидели семь голов, и всё войско хором трижды приветствовало громким писком огромную, увенчанную семью диадемами мышь. Теперь войско сразу пришло в движение и – хоп-хоп, топ-топ! – направилось прямо к шкафу, прямо на Мари, которая всё ещё стояла, прижавшись к стеклянной дверце.

От ужаса у Мари уже и раньше так колотилось сердце, что она боялась, как бы оно тут же не выпрыгнуло из груди, – ведь тогда бы она умерла. Теперь же ей показалось, будто кровь застыла у неё в жилах. Она зашаталась, теряя сознание, но тут вдруг раздалось: клик-клак-хрр!.. – и посыпались осколки стекла, которое Мари разбила локтем. В ту же минуту она почувствовала жгучую боль в левой руке, но у неё сразу отлегло от сердца: она не слышала больше визга и писка. Всё мигом стихло. И хотя она не смела открыть глаза, всё же ей подумалось, что звон стекла испугал мышей и они попрятались по норам.

Но что же это опять такое? У Мари за спиной, в шкафу, поднялся странный шум и зазвенели тоненькие голосочки:

– Стройся, взвод! Стройся, взвод! В бой вперёд! Полночь бьёт! Стройся, взвод! В бой вперёд!

И начался стройный и приятный перезвон мелодичных колокольчиков.

– Ах, да ведь это же мой музыкальный ящик! – обрадовалась Мари и быстро отскочила от шкафа.

Тут она увидела, что шкаф странно светится и в нём идёт какая-то возня и суетня.

Куклы беспорядочно бегали взад и вперёд и размахивали ручками. Вдруг поднялся Щелкунчик, сбросил одеяло и, одним прыжком соскочив с кровати, громко крикнул:

– Щёлк-щёлк-щёлк, глупый мыший полк! То-то будет толк, мыший полк! Щёлк-щёлк, мыший полк – прёт из щёлок – выйдет толк!

И при этом он выхватил свою крохотную сабельку, замахал ею в воздухе и закричал:

– Эй, вы, мои верные вассалы, други и братья! Постоите ли вы за меня в тяжком бою?

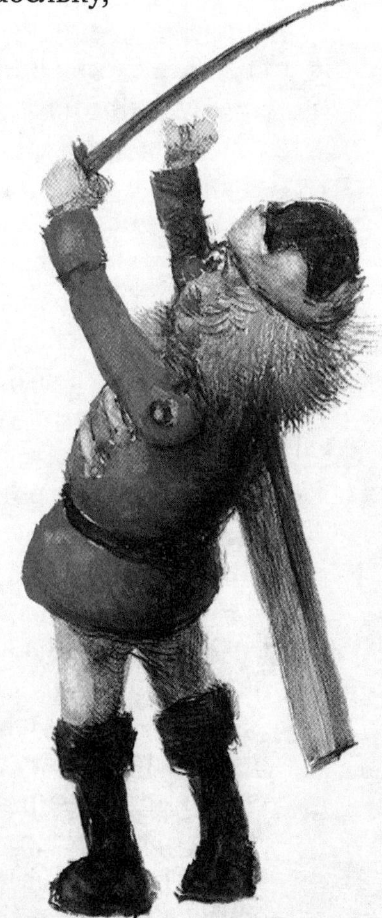

И сейчас же отозвались три скарамуша, Панталоне, четыре трубочиста, два бродячих музыканта и барабанщик:

– Да, наш государь, мы верны вам до гроба! Ведите нас в бой – на смерть или на победу!

И они ринулись вслед за Щелкунчиком, который, горя воодушевлением, отважился на отчаянный прыжок с верхней полки. Им-то было хорошо прыгать: они не только были разряжены в шёлк и бархат, но и туловище у них было набито ватой и опилками; вот они и шлёпались вниз, будто кулёчки с шерстью. Но бедный Щелкунчик уж наверное переломал бы себе руки и ноги; подумайте только – от полки, где он стоял, до нижней было почти два фута, а сам он был хрупкий, словно выточенный из липы. Да, Щелкунчик уж наверное переломал бы себе руки и ноги, если бы в тот самый миг, как он прыгнул, мамзель Клерхен не соскочила

с дивана и не приняла в свои нежные объятия потрясающего мечом героя.

– О милая, добрая Клерхен! – в слезах воскликнула Мари. – Как я ошиблась в тебе! Уж конечно ты от всего сердца уступила кроватку дружку Щелкунчику.

И вот мамзель Клерхен заговорила, нежно прижимая юного героя к своей шёлковой груди:

– Разве можно вам, государь, идти в бой, навстречу опасности, больным и с не зажившими ещё ранами! Взгляните, вот собираются ваши храбрые вассалы, они рвутся в бой и уверены в победе. Скарамуш, Панталоне, трубочисты, музыканты и барабанщик уже внизу, а среди куколок с сюрпризами у меня на полке заметно сильное оживление и движение. Соблаговолите, о государь, отдохнуть у меня на груди или же согласитесь созерцать вашу победу с высоты моей шляпы, украшенной перьями.

Так говорила Клерхен; но Щелкунчик вёл себя совсем неподобающим образом и так брыкался, что Клерхен пришлось поскорее поставить его на полку. В то же мгновение он весьма учтиво опустился на одно колено и пролепетал:

– О прекрасная дама, и на поле брани не позабуду я оказанные мне вами милость и благоволение!

Тогда Клерхен нагнулась так низко, что схватила его за ручку, осторожно приподняла, быстро развязала на себе расшитый блёстками кушак и собиралась нацепить его на человечка, но он отступил на два шага, прижал руку к сердцу и произнёс весьма торжественно:

– О прекрасная дама, не извольте расточать на меня ваши милости, ибо... – Он запнулся, глубоко вздохнул, быстро сорвал с плеча ленточку, которую повязала ему Мари, прижал её к губам, повязал на руку в виде шарфа и, с воодушевлением размахивая сверкающим обнажённым мечом, спрыгнул быстро и ловко, словно птичка, с края полки на пол.

Вы, разумеется, сразу поняли, мои благосклонные и весьма внимательные слушатели, что Щелкунчик ещё до того, как по-настоящему ожил, уже отлично чувствовал любовь и заботы, которыми окружила его Мари, и что только из симпатии к ней он не хотел принять от мамзель Клерхен её пояс, несмотря на то что тот был очень красив и весь сверкал. Верный, благородный Щелкунчик предпочитал украсить себя скромной ленточкой Мари. Но что-то будет дальше?

Едва Щелкунчик прыгнул на пол, как вновь поднялся визг и писк. Ах, ведь под большим столом собрались несметные полчища злых мышей, и впереди всех выступает отвратительная мышь о семи головах!

Что-то будет?

ГЛАВА 5

Битва

Барабанщик, мой верный вассал, бей общее наступление! – громко скомандовал Щелкунчик.

И тотчас же барабанщик начал выбивать дробь искуснейшим манером, так что стеклянные дверцы шкафа задрожали и задребезжали. А в шкафу что-то загремело и затрещало, и Мари увидела, как разом открылись все коробки, в которых были расквартированы войска Фрица, и солдаты выпрыгнули из них прямо на нижнюю полку и там выстроились блестящими рядами. Щелкунчик бегал вдоль рядов, воодушевляя войска своими речами.

– Где эти негодяи трубачи? Почему они не трубят? – закричал в сердцах Щелкунчик. Затем он быстро повернулся к слегка побледневшему Панталоне, у которого сильно трясся длинный подбородок, и торжественно произнёс: – Генерал, мне известны ваши доблесть и опытность. Всё дело в быстрой оценке положения и использовании момента. Вверяю вам командование всей кавалерией и артиллерией. Коня вам не требуется – у вас очень длинные ноги, так что вы отлично поскачете и на своих на двоих. Исполняйте свой долг!

Панталоне тотчас всунул в рот длинные сухие пальцы и свистнул так пронзительно, будто звонко запели сто дудок враз. В шкафу послышалось ржание и топот, и – гляди-ка! – кирасиры и драгуны

Фрица, а впереди всех – новые, блестящие гусары выступили в поход и вскоре очутились внизу, на полу. И вот полки один за другим промаршировали перед Щелкунчиком с развевающимися знамёнами и с барабанным боем и выстроились широкими рядами поперёк всей комнаты. Все пушки Фрица, сопровождаемые пушкарями, с грохотом выехали вперёд и пошли бухать: бум-бум!.. И Мари увидела, как в густые полчища мышей полетело драже, напудрив их добела сахаром, отчего они очень сконфузились. Но больше всего вреда нанесла мышам тяжёлая батарея, въехавшая на мамину скамеечку для ног и – бум-бум! – непрерывно обстреливавшая неприятеля круглыми пряничками, от которых полегло немало мышей.

Однако мыши всё наступали и даже захватили несколько пушек; но тут поднялся шум и грохот – трр-трр! – и из-за дыма и пыли Мари с трудом могла разобрать, что происходит. Одно было ясно: обе армии бились с большим ожесточением и победа переходила то на ту, то на другую сторону. Мыши вводили в бой всё свежие и свежие силы, и серебряные пилюльки, которые они бросали весьма искусно, долетали уже до самого шкафа. Клерхен и Трудхен метались по полке и в отчаянии ломали ручки.

– Неужели я умру во цвете лет, неужели умру я, такая красивая кукла! – вопила Клерхен.

– Не для того же я так хорошо сохранилась, чтобы погибнуть здесь, в четырёх стенах! – причитала Трудхен.

Потом они упали друг другу в объятия и так громко разревелись, что их не мог заглушить даже бешеный грохот битвы.

Вы и понятия не имеете, дорогие мои слушатели, что здесь творилось. Раз за разом бухали пушки: прр-прр!.. Др-др!.. Трах-тарарах-трах-тарарах!.. Бум-бурум-бум-бурум-бум!.. И тут же пищали и визжали мышиный король и мыши, а потом снова раздавался грозный и могучий голос Щелкунчика, командовавшего сражением. И было видно, как сам он обходит под огнём свои батальоны.

Панталоне провёл несколько чрезвычайно доблестных кавалерийских атак и покрыл себя славой. Но мышиная артиллерия засыпала гусар Фрица отвратительными, зловонными ядрами, которые оставляли на их красных мундирах ужасные пятна, почему гусары

и не рвались вперёд. Панталоне скомандовал им «налево кругом» и, воодушевившись ролью полководца, сам повернул налево, а за ним последовали кирасиры и драгуны, и вся кавалерия отправилась восвояси. Теперь положение батареи, занявшей позицию на скамеечке для ног, стало угрожаемым; не пришлось долго ждать, как нахлынули полчища противных мышей и бросились в атаку столь яростно, что перевернули скамеечку вместе с пушками и пушкарями. Щелкунчик, по-видимому, был очень озадачен и скомандовал отступление на правом фланге. Ты знаешь, о мой многоопытный в ратном деле слушатель Фриц, что подобный манёвр означает чуть ли не то же самое, что бегство с поля брани, и ты вместе со мной уже сокрушаешься о неудаче, которая должна была постигнуть армию маленького любимца Мари – Щелкунчика. Но отврати свой взор от этой напасти и взгляни на левый фланг Щелкунчиковой армии, где всё обстоит вполне благополучно и полковник и армия ещё полны надежды. В пылу битвы из-под комода тихонечко выступили отряды мышиной кавалерии и с отвратительным писком яростно набросились на левый фланг Щелкунчиковой армии; но какое сопротивление встретили они! Медленно, насколько позволяла неровная местность, ибо надо было перебраться через край шкафа, выступил и построился в каре корпус куколок с сюрпризами под предводительством двух китайских императоров. Эти бравые, очень пёстрые и нарядные великолепные полки, составленные из садовников, тирольцев, тунгусов, парикмахеров, арлекинов, купидонов, львов, тигров, мартышек и обезьян, сражались с хладнокровием, отвагой и выдержкой. С мужеством, достойным спартанцев, вырвал бы этот отборный батальон победу из рук врага, если бы некий бравый вражеский ротмистр не прорвался с безумной отвагой к одному из китайских императоров и не откусил ему голову, а тот при падении не задавил двух тунгусов и мартышку. Вследствие этого образовалась брешь, куда и устремился враг; и вскоре весь батальон был перегрызен. Но мало выгоды извлёк неприятель из этого злодеяния. Как только кровожадный солдат мышиной кавалерии перегрызал пополам одного из своих отважных противников, прямо в горло ему попадала печатная бумажка, от чего он умирал на месте. Но помогло ли это Щелкунчиковой армии, которая, раз начав отступление, отступала всё дальше и дальше и несла всё больше потерь, так что вскоре только кучка смельчаков со злосчастным Щелкунчиком во главе ещё держалась у самого шкафа? «Резервы, сюда! Панталоне, Скарамуш, барабанщик, где вы?» – взывал Щелкунчик, рассчитывавший на прибытие свежих сил, которые должны были выступить из стеклянного шкафа. Правда, оттуда прибыло несколько коричневых человечков из Торна, с золотыми лицами и в золотых шлемах и шляпах; но они дрались так неумело, что ни разу не попали во врага и, вероятно, сбили бы с головы шапочку своему полководцу Щелкунчику. Неприятельские егеря вскоре отгрызли им ноги, так что они попа́дали и при этом передавили многих соратников Щелкунчика. Теперь Щелкунчик, со всех сторон теснимый врагом, находился в большой опасности. Он хотел было перепрыгнуть через край шкафа, но ноги у него были слишком коротки. Клерхен и Трудхен лежали в обмороке – помочь ему они не могли. Гусары и драгуны резво скакали мимо него прямо в шкаф. Тогда он в предельном отчаянии громко воскликнул:

– «Коня, коня! Полцарства за коня!»

В этот миг два вражеских стрелка вцепились в его деревянный плащ, и мышиный король подскочил к Щелкунчику, испуская победный писк из всех своих семи глоток.

Мари больше не владела собой.

– О мой бедный Щелкунчик! – воскликнула она, рыдая, и, не отдавая себе отчёта в том, что делает, сняла с левой ноги туфельку и изо всей силы швырнула ею в самую гущу мышей, прямо в их короля.

В тот же миг всё словно прахом рассыпалось, а Мари почувствовала боль в левом локте, ещё более жгучую, чем раньше, и без чувств повалилась на пол.

ГЛАВА 6

Болезнь

Когда Мари очнулась после глубокого забытья, она увидела, что лежит у себя в постельке, а сквозь замёрзшие окна в комнату светит яркое, искрящееся солнце.
У самой её постели сидел чужой человек, в котором она, однако, скоро узнала хирурга Вендельштерна. Он сказал вполголоса:

– Наконец-то она очнулась...

Тогда подошла мама и посмотрела на неё испуганным, пытливым взглядом.

– Ах, милая мамочка, – пролепетала Мари, – скажи: противные мыши убрались наконец и славный Щелкунчик спасён?

– Полно вздор болтать, милая Марихен! – возразила мать. – Ну на что мышам твой Щелкунчик? А вот ты, нехорошая девочка, до смерти напугала нас. Так всегда бывает, когда дети своевольничают и не слушаются родителей. Ты вчера до поздней ночи заигралась в куклы, потом задремала, и, верно, тебя напугала случайно прошмыгнувшая мышка: ведь вообще-то мышей у нас не водится. Словом, ты расшибла локтем стекло в шкафу и поранила себе руку. Хорошо ещё, что ты не порезала стеклом вену! Доктор Вендельштерн, который как раз сейчас вынимал у тебя из раны застрявшие там осколки, говорит, что ты на всю жизнь осталась бы калекой и могла бы

даже истечь кровью. Слава Богу, я проснулась в полночь, увидела, что тебя всё ещё нет в спальне, и пошла в гостиную. Ты без сознания лежала на полу у шкафа, вся в крови. Я сама со страху чуть не потеряла сознание. Ты лежала на полу, а вокруг были разбросаны оловянные солдатики Фрица, разные игрушки, поломанные куклы с сюрпризами и пряничные человечки. Щелкунчика ты держала в левой руке, из которой сочилась кровь, а неподалёку валялась твоя туфелька...

– Ах, мамочка, мамочка! – перебила её Мари. – Ведь это же были следы великой битвы между куклами и мышами! Оттого-то я так испугалась, что мыши хотели забрать в плен бедного Щелкунчика, командовавшего кукольным войском. Тогда я швырнула туфелькой в мышей, а что было дальше, не знаю.

Доктор Вендельштерн подмигнул матери, и та очень ласково стала уговаривать Мари:

– Полно, полно, милая моя детка, успокойся! Мыши все убежали, а Щелкунчик стоит за стеклом в шкафу, целый и невредимый.

Тут в спальню вошёл советник медицины и завёл долгий разговор с хирургом Вендельштерном, потом он пощупал у Мари пульс, и она слышала, что они говорили о горячке, вызванной раной.

Несколько дней ей пришлось лежать в постели и глотать лекарство, хотя, если не считать боли в локте, она почти не чувствовала недомогания. Она знала, что милый Щелкунчик вышел из битвы целым и невредимым, и по временам ей как сквозь сон чудилось, будто он очень явственным, хотя и чрезвычайно печальным голосом говорит ей: «Мари, прекрасная дама, многим я вам обязан, но вы можете сделать для меня ещё больше».

Мари тщетно раздумывала, что бы это могло быть, но ничего не приходило ей в голову. Играть по-настоящему она не могла из-за больной руки, а если бралась за чтение или принималась перелистывать книжки с картинками, у неё в глазах рябило, так что приходилось отказываться от этого занятия. Поэтому время тянулось для неё бесконечно долго, и Мари едва могла дождаться сумерек, когда мать садилась у её кроватки и читала и рассказывала всякие чудесные истории.

Вот и сейчас мать как раз кончила занимательную сказку про принца Факардина, как вдруг открылась дверь и вошёл крёстный Дроссельмейер.

– Ну-ка дайте мне поглядеть на нашу бедную раненую Мари, – сказал он.

Как только Мари увидела крёстного в обычном жёлтом сюртучке, у неё перед глазами со всей живостью всплыла та ночь, когда Щелкунчик потерпел поражение в битве с мышами, и она невольно крикнула старшему советнику суда:

– О крёстный, какой ты гадкий! Я отлично видела, как ты сидел на часах и свесил на них свои крылья, чтобы часы били потише и не спугнули мышей. Я отлично слышала, как ты позвал мышиного короля. Почему ты не поспешил на помощь Щелкунчику, почему ты не поспе-

шил на помощь мне, гадкий крёстный? Во всём ты один виноват. Из-за тебя я порезала руку и теперь должна лежать больная в постели!

Мать в страхе спросила:

– Что с тобой, дорогая Мари?

Но крёстный скорчил странную мину и заговорил трескучим, монотонным голосом:

– Ходит маятник со скрипом. Меньше стука – вот в чём штука. Трик-и-трак! Всегда и впредь должен маятник скрипеть, песни петь. А когда пробьёт звонок: бим-и-бом! – подходит срок. Не пугайся, мой дружок. Бьют часы и в срок и кстати, на погибель мышьей рати, а потом слетит сова. Раз-и-два и раз-и-два! Бьют часы, коль срок им выпал. Ходит маятник со скрипом. Меньше стука – вот в чём штука. Тик-и-так и трик-и-трак!

Мари широко открытыми глазами уставилась на крёстного, потому что он казался совсем другим и гораздо более уродливым, чем обычно, а правой рукой он махал взад и вперёд, будто паяц, которого дёргают за верёвочку.

Она бы очень испугалась, если бы тут не было матери и если бы Фриц, прошмыгнувший в спальню, не прервал крёстного громким смехом.

– Ах, крёстный Дроссельмейер, – воскликнул Фриц, – сегодня ты опять такой потешный! Ты кривляешься совсем как мой паяц, которого я давно уже зашвырнул за печку.

Мать по-прежнему была очень серьёзна и сказала:

– Дорогой господин старший советник, это ведь действительно странная шутка. Что вы имеете в виду?

– Господи боже мой, разве вы позабыли мою любимую песенку часовщика? – ответил Дроссельмейер смеясь. – Я всегда пою её таким больным, как Мари.

И он быстро подсел к кровати и сказал:

– Не сердись, что я не выцарапал мышиному королю все четырнадцать глаз сразу – этого нельзя было сделать. А зато я тебя сейчас порадую.

С этими словами старший советник суда полез в карман и осторожно вытащил оттуда – как вы думаете, дети, что? – Щелкунчика, которому он очень искусно вставил выпавшие зубки и вправил больную челюсть.

Мари вскрикнула от радости, а мать сказала улыбаясь:

– Вот видишь, как заботится крёстный о твоём Щелкунчике...

– А всё-таки сознайся, Мари, – перебил крёстный госпожу Штальбаум, – ведь Щелкунчик не очень складный и не пригож собой. Если тебе хочется послушать, я охотно расскажу, как такое уродство появилось в его семье и стало там наследственным. А может быть, ты уже знаешь сказку о принцессе Пирлипат, ведьме Мышильде и искусном часовщике?

– Послушай-ка, крёстный! – вмешался в разговор Фриц. – Что верно, то верно: ты отлично вставил зубы Щелкунчику и челюсть тоже уже не шатается. Но почему у него нет сабли? Почему ты не повязал ему саблю?

– Ну ты, неугомонный, – проворчал старший советник суда, – никак на тебя не угодишь! Сабля Щелкунчика меня не касается. Я вылечил его – пусть сам раздобывает себе саблю где хочет.

– Правильно! – воскликнул Фриц. – Если он храбрый малый, то раздобудет себе оружие.

– Итак, Мари, – продолжал крёстный, – скажи, знаешь ли ты сказку о принцессе Пирлипат?

– Ах, нет! – ответила Мари. – Расскажи, милый крёстный, расскажи!

– Надеюсь, дорогой господин Дроссельмейер, – сказала мама, – что на этот раз вы расскажете не такую страшную сказку, как обычно.

– Ну конечно, дорогая госпожа Штальбаум, – ответил Дроссельмейер. – Напротив, то, что я буду иметь честь изложить вам, очень занятно.

– Ах, расскажи, расскажи, милый крёстный! – закричали дети.

И старший советник суда начал так:

ГЛАВА 7

Сказка о твёрдом орехе

Мать Пирлипат была супругой короля, а значит, королевой, а Пирлипат как родилась, так в тот же миг и стала прирождённой принцессой. Король налюбоваться не мог на почивавшую в колыбельке красавицу дочурку. Он громко радовался, танцевал, прыгал на одной ножке и то и дело кричал:

– Хейза! Видел ли кто-нибудь девочку прекраснее моей Пирлипатхен?

А все министры, генералы, советники и штаб-офицеры прыгали на одной ножке, как их отец и повелитель, и хором громко отвечали:

– Нет, никто не видел!

Да, по правде говоря, и нельзя было отрицать, что с тех пор, как стоит мир, не появлялось ещё на свет младенца прекраснее принцессы Пирлипат. Личико у неё было словно соткано из лилейно-белого и нежно-розового шёлка, глазки – живая сияющая лазурь, а особенно украшали её волосики, вившиеся золотыми колечками. При этом Пирлипатхен родилась с двумя рядами беленьких, как жемчуг, зубок, которыми она два часа спустя после рождения впилась в палец рейхсканцлера, когда он пожелал поближе исследовать черты её лица, так что он завопил: «Ой-ой-ой!» Некоторые, впро-

чем, утверждают, будто он крикнул: «Ай-ай-ай!» Ещё и сегодня мнения расходятся. Короче, Пирлипатхен на самом деле укусила рейхсканцлера за палец, и тогда восхищённый народ уверился в том, что в очаровательном, ангельском тельце принцессы Пирлипат обитают и душа, и ум, и чувство.

Как сказано, все были в восторге; одна королева неизвестно почему тревожилась и беспокоилась. Особенно странно было, что она приказала неусыпно стеречь колыбельку Пирлипат. Мало того что у дверей стояли драбанты, было отдано распоряжение, чтобы в детской, кроме двух нянюшек, постоянно сидевших у самой колыбельки, еженощно дежурило ещё шесть нянек, и – что казалось совсем нелепым и чего никто не мог понять – каждой няньке приказано было держать на коленях кота и всю ночь гладить его, чтобы он не переставая мурлыкал. Вам, милые детки, нипочём не угадать, зачем мать принцессы Пирлипат принимала все эти меры, но я знаю зачем и сейчас расскажу и вам.

Раз как-то ко двору короля, родителя принцессы Пирлипат, съехалось много славных королей и пригожих принцев. Ради такого случая были устроены блестящие турниры, представления и придворные балы. Король, желая показать, что у него много золота и серебра, решил как следует запустить руку в свою казну и устроить празднество, достойное его. Поэтому, выведав от обер-гофповара, что придворный звездочёт возвестил время, благоприятное для колки свиней, он задумал задать колбасный пир, вскочил в карету и самолично пригласил всех окрестных королей и принцев всего-навсего на тарелку супа, мечтая затем поразить их роскошеством. Потом он очень ласково сказал своей супруге-королеве:

– Милочка, тебе ведь известно, какая колбаса мне по вкусу…

Королева уже знала, к чему он клонит речь: это означало, что она должна лично заняться весьма полезным делом – изготовлением колбас, – которым не брезговала и раньше. Главному казначею приказано было немедленно отправить на кухню большой золотой котёл и серебряные кастрюли; печь растопили дровами сандалового дерева; королева повязала свой камчатый кухонный передник. И вскоре из котла потянуло вкусным духом колбасного навара.

Приятный запах проник даже в государственный совет. Король, весь трепеща от восторга, не вытерпел.

– Прошу извинения, господа! – воскликнул он, побежал на кухню, обнял королеву, помешал немножко золотым скипетром в котле и, успокоенный, вернулся в государственный совет.

Наступил самый важный момент: пора было разрезать на ломтики сало и поджаривать его на золотых сковородах. Придворные дамы отошли к сторонке, потому что королева из преданности, любви и уважения к царственному супругу собиралась лично заняться этим делом. Но как только сало начало зарумяниваться, послышался тоненький шепчущий голосок:

– Дай и мне отведать сальца, сестрица! И я хочу полакомиться – я ведь тоже королева. Дай и мне отведать сальца!

Королева отлично знала, что это говорит госпожа Мышильда. Мышильда уже много лет проживала в королевском дворце. Она утверждала, будто состоит в родстве с королевской фамилией и сама правит королевством Мышляндия, вот почему она и держала под печкой большой двор. Королева была женщина добрая и щедрая. Хотя вообще она не почитала Мышильду особой царского рода и своей сестрой, но в такой торжественный день от всего сердца допустила её на пиршество и крикнула:

– Вылезайте, госпожа Мышильда! Покушайте на здоровье сальца.

И Мышильда быстро и весело выпрыгнула из-под печки, вскочила на плиту и стала хватать изящными лапками один за другим кусочки сала, которые ей протягивала королева. Но тут нахлынули все кумовья и тётушки Мышильды и даже её семь сыновей, отчаянные сорванцы. Они набросились на сало, и королева с перепугу не знала, как быть. К счастью, подоспела обер-гофмейстерина и прогнала непрошеных гостей. Таким образом, уцелело

немного сала, которое, согласно указаниям призванного по этому случаю придворного математика, было весьма искусно распределено по всем колбасам.

Забили в литавры, затрубили в трубы. Все короли и принцы в великолепных праздничных одеяниях – одни на белых конях, другие в хрустальных каретах – потянулись на колбасный пир. Король встретил их с сердечной приветливостью и почётом, а затем, в короне и со скипетром, как и полагается государю, сел во главе стола. Уже когда подали ливерные колбасы, гости заметили, как всё больше и больше бледнел король, как он возводил очи к небу. Тихие вздохи вылетали из его груди; казалось, его душой овладела сильная скорбь. Но когда подали кровяную колбасу, он с громким рыданьем и стонами откинулся на спинку кресла, обеими руками закрыв лицо. Все повскакали из-за стола. Лейб-медик тщетно пытался нащупать пульс у злосчастного короля, которого, казалось, снедала глубокая, непонятная тоска. Наконец после долгих уговоров, после применения сильных средств, вроде жжёных гусиных перьев и тому подобного, король как будто начал приходить в себя. Он пролепетал едва слышно:

– Слишком мало сала!

Тогда неутешная королева бухнулась ему в ноги и простонала:

– О мой бедный, несчастный царственный супруг! О, какое горе пришлось вам вынести! Но взгляните: виновница у ваших ног – покарайте, строго покарайте меня! Ах, Мышильда со своими кумовьями, тётушками и семью сыновьями съела сало, и...

С этими словами королева без чувств упала навзничь. Но король вскочил, пылая гневом, и громко крикнул:

– Обер-гофмейстерина, как это случилось?

Обер-гофмейстерина рассказала, что знала, и король решил отомстить Мышильде и её роду за то, что они сожрали сало, предназначенное для его колбас.

Созвали тайный государственный совет. Решили возбудить процесс против Мышильды и отобрать в казну все её владения. Но король полагал, что пока это не помешает Мышильде, когда ей вздумается, пожирать сало, потому поручил всё дело придворному часовых дел мастеру и чудодею. Этот человек, которого звали так же, как и меня, а именно Христиан Элиас Дроссельмейер, обещал при помощи совершенно особых, исполненных государственной мудрости мер на веки вечные изгнать Мышильду со всей семьей из дворца.

И в самом деле: он изобрёл весьма искусные машинки, в которых на ниточке было привязано поджаренное сало, и расставил их вокруг жилища госпожи салоежки.

Сама Мышильда была слишком умудрена опытом, чтобы не понять хитрости Дроссельмейера, но ни её предостережения, ни её увещания не помогли: все семь сыновей и много-много Мышильдиных кумовьёв и тётушек, привлечённые вкусным запахом жареного сала, забрались в дроссельмейеровские машинки – и только хотели полакомиться салом, как их неожиданно прихлопнула опускающаяся дверца, а затем их предали на кухне позорной казни. Мышильда с небольшой кучкой уцелевших родичей покинула эти места скорби и плача. Горе, отчаяние, жажда мести клокотали у неё в груди.

Двор ликовал, но королева была встревожена: она знала Мышильдин нрав и отлично понимала, что та не оставит неотомщённой смерть сыновей и близких.

И в самом деле, Мышильда появилась как раз тогда, когда королева готовила для царственного супруга паштет из ливера, который он очень охотно кушал, и сказала так:

– Мои сыновья, кумовья и тётушки убиты. Берегись, королева: как бы королева мышей не загрызла малютку принцессу! Берегись!

Затем она снова исчезла и больше не появлялась. Но королева с перепугу уронила паштет в огонь, и во второй раз Мышильда испортила любимое кушанье короля, на что он очень разгневался...

– Ну, на сегодняшний вечер довольно. Остальное доскажу в следующий раз, – неожиданно закончил крёстный.

Как ни просила Мари, на которую рассказ произвёл особенное впечатление, продолжать, крёстный Дроссельмейер был неумолим и со словами: «Слишком много сразу – вредно для здоровья; продолжение завтра» – вскочил со стула.

В ту минуту, когда он собирался уже выйти за дверь, Фриц спросил:

– Скажи-ка, крёстный, это на самом деле правда, что ты выдумал мышеловку?

– Что за вздор ты городишь, Фриц! – воскликнула мать.

Но старший советник суда очень странно улыбнулся и тихо сказал:

– А почему бы мне, искусному часовщику, не выдумать мышеловку?

ГЛАВА 8

Продолжение сказки о твёрдом орехе

Ну, дети, теперь вы знаете, – так продолжал на следующий вечер Дроссельмейер, – почему королева приказала столь бдительно стеречь красоточку принцессу Пирлипат. Как же было ей не бояться, что Мышильда выполнит свою угрозу – вернётся и загрызёт малютку принцессу! Машинка Дроссельмейера ничуть не помогала против умной и предусмотрительной Мышильды, а придворный звездочёт, бывший одновременно и главным предсказателем, заявил, что только род кота Мурра может отвадить Мышильду от колыбельки. Потому-то каждой няньке приказано было держать на коленях одного из сынов этого рода, которых, кстати сказать, пожаловали чином тайного советника посольства, и облегчать им бремя государственной службы учтивым почёсыванием за ухом.

Как-то, уже в полночь, одна из двух обер-гофнянек, которые сидели у самой колыбельки, вдруг очнулась, словно от глубокого сна. Всё вокруг было охвачено сном. Никакого мурлыканья – глубокая, мёртвая тишина, только слышно тиканье жучка-точильщика. Но что почувствовала нянька, когда прямо перед собой увидела большую противную мышь, которая поднялась на задние лапки и положила свою зловещую голову принцессе на лицо! Нянька вскочила с криком ужаса, все проснулись, но в тот же миг Мышильда – ведь

большая мышь у колыбели Пирлипат была она – быстро шмыгнула в угол комнаты. Советники посольства бросились вдогонку, но не тут-то было: она шмыгнула в щель в полу. Пирлипатхен проснулась от суматохи и очень жалобно заплакала.

– Слава Богу! – воскликнули нянюшки. – Она жива!

Но как же они испугались, когда взглянули на Пирлипатхен и увидели, что сталось с хорошеньким нежным младенцем! На тщедушном, скорчившемся тельце вместо кудрявой головки румяного херувима сидела огромная бесформенная голова; голубые, как лазурь, глазки превратились в зелёные, тупо вытаращенные гляделки, а ротик растянулся до ушей.

Королева исходила слезами и рыданиями, а кабинет короля пришлось обить ватой, потому что король бился головой об стену и жалобным голосом причитал:

– Ах я несчастный монарх!

Теперь король, казалось, мог бы понять, что лучше было съесть колбасу без сала и оставить в покое Мышильду со всей её запечной роднёй, но об этом отец принцессы Пирлипат не подумал – он просто-напросто свалил всю вину на придворного часовщика и чудодея Христиана Элиаса Дроссельмейера из Нюрнберга и отдал мудрый приказ: «Дроссельмейер должен в течение месяца вернуть принцессе Пирлипат её прежний облик или по крайней мере указать верное к тому средство – в противном случае он будет предан позорной смерти от руки палача».

Дроссельмейер не на шутку перепугался. Однако он положился на своё умение и счастье и тотчас же приступил к первой операции, которую почитал необходимой. Он очень ловко разобрал принцессу Пирлипат на части, вывинтил ручки и ножки и осмотрел внутреннее устройство, но, к сожалению, он убедился, что с возрастом принцесса будет всё безобразнее, и не знал, как помочь беде. Он опять старательно собрал принцессу и впал в уныние около её колыбели, от которой не смел отлучаться.

Шла уже четвёртая неделя, наступила среда, и король, сверкая в гневе очами и потрясая скипетром, заглянул в детскую к Пирлипат и воскликнул:

– Христиан Элиас Дроссельмейер, вылечи принцессу, не то тебе несдобровать!

Дроссельмейер принялся жалобно плакать, а принцесса Пирлипат тем временем весело щёлкала орешки. Впервые часовых дел мастера и чудодея поразила её необычайная любовь к орехам и то обстоятельство, что она появилась на свет уже с зубами. В самом деле, после превращения она кричала без умолку, пока ей случайно не попался орешек; она разгрызла его, съела ядрышко и сейчас же утомонилась. С тех пор няньки то и дело унимали её орехами.

– О святой инстинкт природы, неисповедимая симпатия всего сущего! – воскликнул Христиан Элиас Дроссельмейер. – Ты указуешь мне врата тайны. Я постучусь, и они откроются!

Он тотчас же испросил разрешения поговорить с придворным звездочётом и был отведён к нему под строгим караулом. Оба, заливаясь слезами, упали друг другу в объятия, так как были закадычными друзьями, затем удалились в потайной кабинет и принялись рыться в книгах, где говорилось об инстинкте, симпатиях и антипатиях и других таинственных явлениях.

Наступила ночь. Придворный звездочёт поглядел на звёзды и с помощью Дроссельмейера, великого искусника и в этом деле, составил гороскоп принцессы Пирлипат. Сделать это было очень трудно, ибо линии запутывались всё больше и больше, но – о радость! – наконец всё стало ясно: чтобы избавиться от волшебства, которое её изуродовало, и вернуть себе былую красоту, принцессе Пирлипат достаточно было съесть ядрышко ореха Кракатук.

У ореха Кракатук была такая твёрдая скорлупа, что по нему могла проехаться сорокавосьмифунтовая пушка и не раздавить

его. Этот твёрдый орех должен был разгрызть и, зажмурившись, поднести принцессе человек, никогда ещё не брившийся и не носивший сапог. Затем юноше следовало отступить на семь шагов, не споткнувшись, и только тогда открыть глаза.

Три дня и три ночи без устали работали Дроссельмейер со звездочётом, и как раз в субботу, когда король сидел за обедом, к нему ворвался радостный и весёлый Дроссельмейер, которому в воскресенье утром должны были снести голову, и возвестил, что найдено средство вернуть принцессе Пирлипат утраченную красоту. Король обнял его горячо и благосклонно и посулил ему бриллиантовую шпагу, четыре ордена и два новых праздничных кафтана.

– После обеда мы сейчас же и приступим, – любезно прибавил король. – Позаботьтесь, дорогой чудодей, чтобы небритый молодой человек в башмаках был под рукой и, как полагается, с орехом Кракатук. И не давайте ему вина, а то как бы он не споткнулся, когда, словно рак, будет пятиться семь шагов. Потом пусть пьёт вволю!

Дроссельмейера напугала речь короля, и, смущаясь и робея, он пролепетал, что средство, правда, найдено, но что обоих – и орех и молодого человека, который должен его разгрызть, – надо сперва отыскать, причём пока ещё очень сомнительно, возможно ли найти орех и щелкунчика. В сильном гневе потряс король скипетром над венчанной главой и зарычал, как лев:

– Ну, так тебе снесут голову!

На счастье поверженного в страх и горе Дроссельмейера, как раз сегодня обед пришёлся королю очень по вкусу, и поэтому он был расположен внимать разумным увещаниям, на которые не поскупилась

великодушная королева, тронутая судьбой несчастного часовщика. Дроссельмейер приободрился и почтительно доложил королю, что, собственно, разрешил задачу – нашёл средство к излечению принцессы и тем самым заслужил помилование. Король назвал это глупой отговоркой и пустой болтовнёй, но в конце концов, выпив стаканчик желудочной настойки, решил, что оба – часовщик и звездочёт – тронутся в путь и не вернутся до тех пор, пока у них в кармане не будет ореха Кракатук. А человека, нужного для того, чтобы разгрызть орех, по совету королевы решили раздобыть путём многократных объявлений в местных и заграничных газетах и ведомостях с приглашением явиться во дворец...

На этом крёстный Дроссельмейер остановился и обещал досказать остальное в следующий вечер.

ГЛАВА 9

Конец сказки о твёрдом орехе

И в самом деле, на следующий день вечером, только зажгли свечи, явился крёстный Дроссельмейер и так продолжал свой рассказ:

– Дроссельмейер и придворный звездочёт странствовали уже пятнадцать лет и всё ещё не напали на след ореха Кракатук. Где они побывали, какие диковинные приключения испытали, не пересказать, детки, и за целый месяц. Этого я делать и не собираюсь, а прямо скажу вам, что, погружённый в глубокое уныние, Дроссельмейер сильно стосковался по родине, по милому своему Нюрнбергу. Особенно сильная тоска напала на него как-то раз в Азии, в дремучем лесу, где он вместе со своим спутником присел выкурить трубочку кнастера.

«О дивный, дивный Нюрнберг мой, кто не знаком ещё с тобой, пусть побывал он даже в Вене, в Париже и Петервардейне, душою будет он томиться, к тебе, о Нюрнберг мой, стремиться – чудесный городок, где в ряд красивые дома стоят».

Жалобные причитания Дроссельмейера вызвали глубокое сочувствие у звездочёта, и он тоже разревелся так горько, что его слышно было на всю Азию. Но он взял себя в руки, вытер слёзы и спросил:

– Досточтимый коллега, чего же мы здесь сидим и ревём? Чего не идём в Нюрнберг? Не всё ли равно, где и как искать злополучный орех Кракатук?

– И то правда, – ответил, сразу утешившись, Дроссельмейер.

Оба сейчас же встали, выколотили трубки и из леса в глубине Азии прямёхонько отправились в Нюрнберг.

Как только они прибыли, Дроссельмейер сейчас же побежал к своему двоюродному брату – игрушечному мастеру, токарю по дереву, лакировщику и позолотчику Кристофу Захариусу Дроссельмейеру, с которым не виделся уже много-много лет. Ему-то и рассказал часовщик всю историю про принцессу Пирлипат, госпожу Мышильду и орех Кракатук, а тот то и дело всплёскивал руками и несколько раз в удивлении воскликнул:

– Ах, братец, братец, ну и чудеса!

Дроссельмейер рассказал о приключениях на своём долгом пути, рассказал, как провёл два года у Финикового короля, как обидел и выгнал его Миндальный принц, как тщетно запрашивал он Общество естествоиспытателей в городе Белок, – короче говоря, как ему нигде не удалось напасть на след ореха Кракатук. Во время рассказа Кристоф Захариус не раз прищёлкивал пальцами, вертелся на одной ножке, причмокивал губами и приговаривал:

– Гм, гм! Эге! Вот так штука!

Наконец он подбросил к потолку колпак вместе с париком, горячо обнял двоюродного брата и воскликнул:

– Братец, братец, вы спасены, спасены, говорю я! Слушайте: или я жестоко ошибаюсь, или орех Кракатук у меня!

Он тотчас же принёс шкатулочку, откуда вытащил позолоченный орех средней величины.

– Взгляните, – сказал он, показывая орех двоюродному брату, – взгляните на этот орех. История его такова. Много лет назад, в сочельник, пришёл сюда неизвестный человек с полным мешком орехов, которые он принёс на продажу. У самых дверей моей лавки с игрушками он поставил мешок наземь, чтоб легче было действовать, так как у него произошла стычка со здешним продавцом орехов, который не мог потерпеть у нас чужого торговца. В эту ми-

нуту мешок переехала тяжело нагруженная фура. Все орехи были передавлены, за исключением одного, который чужеземец, странно улыбаясь, и предложил уступить мне за цванцигер тысяча семьсот двадцатого года. Мне это показалось загадочным, но я нашёл у себя в кармане как раз такой цванцигер, какой он просил, купил орех и позолотил его. Сам хорошенько не знаю, почему я так дорого заплатил за орех, а потом так берёг его.

Всякое сомнение в том, что орех двоюродного брата – это действительно орех Кракатук, который они так долго искали, тут же рассеялось, когда подоспевший на зов придворный звездочёт аккуратно соскоблил с ореха позолоту и отыскал на скорлупе слово «Кракатук», вырезанное китайскими письменами.

Радость путешественников была огромна, а двоюродный брат Дроссельмейера почёл себя счастливейшим человеком в мире, когда Дроссельмейер уверил его, что счастье ему обеспечено, ибо отныне сверх значительной пенсии он будет получать золото для позолоты даром.

И чудодей и звездочёт оба уже нахлобучили ночные колпаки и собирались укладываться спать, как вдруг последний, то есть звездочёт, повёл такую речь:

– Дражайший коллега, счастье никогда не приходит одно. Поверьте, мы нашли не только орех Кракатук, но и молодого человека, который разгрызёт его и преподнесёт принцессе ядрышко – залог красоты. Я имею в виду не кого иного, как сына вашего двоюродного брата. Нет, я не лягу спать, – вдохновенно воскликнул он. – Я ещё сегодня ночью составлю гороскоп юноши! – С этими словами он сорвал колпак с головы и тут же принялся наблюдать звёзды.

Племянник Дроссельмейера был в самом деле пригожий, складный юноша, который ещё ни разу не брился и не надевал сапог. В ранней молодости он, правда, изображал два Рождества кряду паяца; но этого ничуточки не было заметно: так искусно был он воспитан стараниями отца. На Святках он был в красивом красном, шитом золотом кафтане, при шпаге, держал под мышкой

шляпу и носил превосходный парик с косичкой. В таком блестящем виде стоял он в лавке у отца и со свойственной ему галантностью щёлкал барышням орешки, за что и прозвали его Красавчик Щелкунчик.

Наутро восхищённый звездочёт упал в объятия Дроссельмейера и воскликнул:

– Это он! Мы раздобыли его, он найден! Только, любезнейший коллега, не следует упускать из виду двух обстоятельств: во-первых, надо сплести вашему превосходному племяннику солидную деревянную косу, которая была бы соединена с нижней челюстью таким образом, чтобы её можно было сильно оттянуть косой; затем, по прибытии в столицу надо молчать о том, что мы привезли с собой молодого человека, который разгрызёт орех Кракатук, – лучше, чтобы он появился гораздо позже. Я прочёл в гороскопе, что, после того как многие сломают себе на орехе зубы без всякого толку, король отдаст принцессу, а после смерти и королевство в награду тому, кто разгрызёт орех и возвратит Пирлипат утраченную красоту.

Игрушечный мастер был очень польщён, что его сыночку предстояло жениться на принцессе и самому сделаться принцем, а затем и королём, и потому он охотно доверил его звездочёту и часовщику. Коса, которую Дроссельмейер приделал своему юному многообещающему племяннику, удалась на славу, так что тот блестяще выдержал испытание, раскусив самые твёрдые персиковые косточки.

Дроссельмейер и звездочёт немедленно дали знать в столицу, что орех Кракатук найден, а там сейчас же опубликовали воззвание, и, когда прибыли наши путники с талисманом, восстанавливающим красоту, ко двору уже явилось много прекрасных юношей и даже принцев, которые, полагаясь на свои здоровые челюсти, хотели попытаться снять злые чары с принцессы.

Наши путники очень испугались, увидев принцессу. Маленькое туловище с тощими ручонками и ножками едва держало бесформенную голову. Лицо казалось ещё уродливее из-за белой нитяной бороды, которой обросли рот и подбородок.

Всё случилось так, как прочитал в гороскопе придворный звездочёт. Молокососы в башмаках один за другим ломали себе зубы

и раздирали челюсти, а принцессе ничуть не легчало; когда же затем их в полуобморочном состоянии уносили приглашённые на этот случай зубные врачи, они стонали:

– Поди-ка раскуси такой орех!

Наконец король в сокрушении сердечном обещал дочь и королевство тому, кто расколдует принцессу. Тут-то и вызвался наш учтивый и скромный молодой Дроссельмейер и попросил разрешения тоже попытать счастья.

Принцессе Пирлипат никто так не понравился, как молодой Дроссельмейер; она прижала ручки к сердцу и от глубины души вздохнула: «Ах, если бы он разгрыз орех Кракатук и стал моим мужем!»

Вежливо поклонившись королю и королеве, а затем принцессе Пирлипат, молодой Дроссельмейер принял из рук обер-церемониймейстера орех Кракатук, положил его без долгих разговоров в рот, сильно дёрнул себя за косу и – щёлк-щёлк! – разгрыз скорлупу на кусочки. Ловко очистил он ядрышко от приставшей кожуры и, зажмурившись, поднёс, почтительно шаркнув ножкой, принцессе, затем начал пятиться. Принцесса тут же проглотила ядрышко, и – о чудо! – уродец исчез, а на его месте стояла прекрасная, как ангел, девушка, с лицом, словно сотканным из лилейно-белого и розового шёлка, с глазами, сияющими как лазурь, с вьющимися колечками золотыми волосами.

Трубы и литавры присоединились к громкому ликованию народа. Король и весь двор танцевали на одной ножке, как при рождении принцессы Пирлипат, а королеву пришлось опрыскивать одеколоном, так как от радости и восторга она упала в обморок.

Поднявшаяся суматоха порядком смутила молодого Дроссельмейера, которому предстояло ещё пятиться положенные семь шагов. Всё же он держался отлично и уже занёс правую ногу для седьмого шага, но тут из подполья с отвратительным писком и визгом вылезла Мышильда. Молодой Дроссельмейер, опустивший было ногу, наступил на неё и так споткнулся, что чуть не упал.

О злой рок! В один миг юноша стал так же безобразен, как до того принцесса Пирлипат. Туловище съёжилось и едва выдерживало огромную бесформенную голову с большими вытаращенными глазами и широкой, безобразно разинутой пастью. Вместо косы сзади повис узкий деревянный плащ, при помощи которого можно было управлять нижней челюстью.

Часовщик и звездочёт были вне себя от ужаса, однако они заметили, что Мышильда, вся в крови, извивается на полу. Её злодейство не осталось безнаказанным: молодой Дроссельмейер крепко ударил её по шее острым каблуком и ей пришёл конец.

Но Мышильда, охваченная предсмертными муками, жалобно пищала и визжала:

– О твёрдый, твёрдый Кракатук, мне не уйти от смертных мук!.. Хи-хи... Пи-пи... Но, Щелкунчик-хитрец, и тебе придёт конец: мой сынок, король мышиный, не простит моей кончины – отомстит тебе за мать мышья рать. О жизнь, была ты светла – и смерть за мною пришла... Квик!

Пискнув в последний раз, Мышильда умерла, и королевский истопник унёс её прочь.

На молодого Дроссельмейера никто не обращал внимания. Однако принцесса напомнила отцу его обещание, и король тотчас же повелел подвести к Пирлипат юного героя. Но когда бедняга предстал перед ней во всём своём безобразии, принцесса закрыла лицо обеими руками и закричала:

– Вон, вон отсюда, противный Щелкунчик!

И сейчас же гофмаршал схватил его за узкие плечики и вытолкал вон.

Король распалился гневом, решив, что ему хотели навязать в зятья Щелкунчика, во всём винил незадачливых часовщика и звездочёта и на вечные времена изгнал обоих из столицы. Это не было

предусмотрено гороскопом, составленным звездочётом в Нюрнберге, но он не преминул снова приступить к наблюдению за звёздами и прочитал, что юный Дроссельмейер отменно будет вести себя в своём новом звании и, несмотря на всё своё безобразие, сделается принцем и королём. Но его уродство исчезнет лишь в том случае, если семиголовый сын Мышильды, родившийся после смерти своих семи старших братьев и ставший мышиным королём, падёт от руки Щелкунчика и если, несмотря на уродливую наружность, юного Дроссельмейера полюбит прекрасная дама. Говорят, что и в самом деле на Святках видели молодого Дроссельмейера в Нюрн-

берге в лавке его отца, хотя и в образе Щелкунчика, но всё же в сане принца.

Вот вам, дети, сказка о твёрдом орехе. Теперь вы поняли, почему говорят: «Поди-ка раскуси такой орех!» – и почему щелкунчики столь безобразны...

Так закончил старший советник суда свой рассказ.

Мари решила, что Пирлипат – очень гадкая и неблагодарная принцесса, а Фриц уверял, что, если Щелкунчик и вправду храбрец, он не станет особенно церемониться с мышиным королём и вернёт себе былую красоту.

ГЛАВА 10

Дядя и племянник

Кому из моих высокоуважаемых читателей или слушателей случалось порезаться стеклом, тот знает, как это больно и что это за скверная штука, так как рана заживает очень медленно. Мари пришлось провести в постели почти целую неделю, потому что при всякой попытке встать у неё кружилась голова. Всё же в конце концов она совсем выздоровела и опять могла весело прыгать по комнате.

В стеклянном шкафу всё блистало новизной – и деревья, и цветы, и дома, и по-праздничному расфуфыренные куклы, а главное, Мари нашла там своего милого Щелкунчика, который улыбался ей со второй полки, скаля два ряда целых зубов. Когда она, радуясь от всей души, глядела на своего любимца, у неё вдруг защемило сердце: а если всё, что рассказал крёстный – история про Щелкунчика и про его распрю с Мышильдой и её сыном, – если всё это правда? Теперь она знала, что её Щелкунчик – молодой Дроссельмейер из Нюрнберга, пригожий, но, к сожалению, заколдованный Мышильдой племянник крёстного Дроссельмейера.

В том, что искусный часовщик при дворе отца принцессы Пирлипат был не кто иной, как старший советник суда Дроссельмейер, Мари ни минуты не сомневалась уже во время рассказа. «Но почему

же дядя не помог тебе, почему он не помог тебе?» – сокрушалась Мари, и в ней всё сильнее крепло убеждение, что бой, при котором она присутствовала, шёл за Щелкунчиково королевство и корону. «Ведь все куклы подчинялись ему, ведь совершенно ясно, что сбылось предсказание придворного звездочёта и молодой Дроссельмейер стал королём в кукольном царстве».

Рассуждая так, умненькая Мари, наделившая Щелкунчика и его вассалов жизнью и способностью двигаться, была убеждена, что они и в самом деле вот-вот оживут и зашевелятся. Но не тут-то было: в шкафу всё стояло неподвижно по своим местам. Однако Мари и не думала отказываться от своего внутреннего убеждения – она просто решила, что всему причиной колдовство Мышильды и её семиголового сына.

– Хотя вы и не в состоянии пошевельнуться или вымолвить словечко, милый господин Дроссельмейер, – сказала она Щелкунчику, – всё же я уверена, что вы меня слышите и знаете, как хорошо я к вам отношусь. Рассчитывайте на мою помощь, когда она вам понадобится. Во всяком случае, я попрошу дядю, чтобы он помог вам, если в том будет нужда, своим искусством!

Щелкунчик стоял спокойно и не трогался с места, но Мари почудилось, будто по стеклянному шкафу пронёсся лёгкий вздох, отчего чуть слышно, но удивительно мелодично зазвенели стёкла, и тоненький, звонкий, как колокольчик, голосок пропел: «Мария, друг, хранитель мой! Не надо мук – я буду твой».

У Мари от страха по спине забегали мурашки, но, как ни странно, ей было почему-то очень приятно.

Наступили сумерки. В комнату вошли родители с крёстным Дроссельмейером. Немного погодя Луиза подала чай, и вся семья, весело болтая, уселась за стол. Мари потихонечку принесла своё креслице и села у ног крёстного. Улучив минутку, когда все замолчали, Мари посмотрела большими голубыми глазами прямо в лицо старшему советнику суда и сказала:

– Теперь, дорогой крёстный, я знаю, что Щелкунчик – твой племянник, молодой Дроссельмейер из Нюрнберга. Он стал принцем или, вернее, королём: всё так и случилось, как предсказал твой

спутник, звездочёт. Но ты ведь знаешь, что он объявил войну сыну госпожи Мышильды, уродливому мышиному королю. Почему ты ему не поможешь?

И Мари снова рассказала весь ход битвы, при которой присутствовала, и часто её прерывал громкий смех матери и Луизы. Только Фриц и Дроссельмейер сохраняли серьёзность.

– Откуда только девочка набралась такого вздору? – спросил советник медицины.

– Ну, у неё просто богатая фантазия, – ответила мать. – В сущности, это бред, порождённый сильной горячкой.

– Всё это неправда, – сказал Фриц. – Мои гусары – не такие трусы, не то я бы им показал!

Но крёстный, странно улыбаясь, посадил крошку Мари на колени и заговорил ласковее, чем обычно:

– Ах, милая Мари, тебе дано больше, чем мне и всем нам. Ты, как и Пирлипат, – прирождённая принцесса: ты правишь прекрасным, светлым царством. Но много придётся тебе вытерпеть, если ты возьмёшь под свою защиту бедного уродца Щелкунчика! Ведь мышиный король стережёт его на всех путях и дорогах. Знай: не я, а ты, ты одна можешь спасти Щелкунчика. Будь стойкой и преданной.

Никто – ни Мари, ни остальные не поняли, что подразумевал Дроссельмейер; а советнику медицины слова крёстного показались такими странными, что он пощупал у него пульс и сказал:

– У вас, дорогой друг, сильный прилив крови к голове: я вам пропишу лекарство.

Только супруга советника медицины задумчиво покачала головой и заметила:

– Я догадываюсь, что имеет в виду господин Дроссельмейер, но выразить это словами не могу.

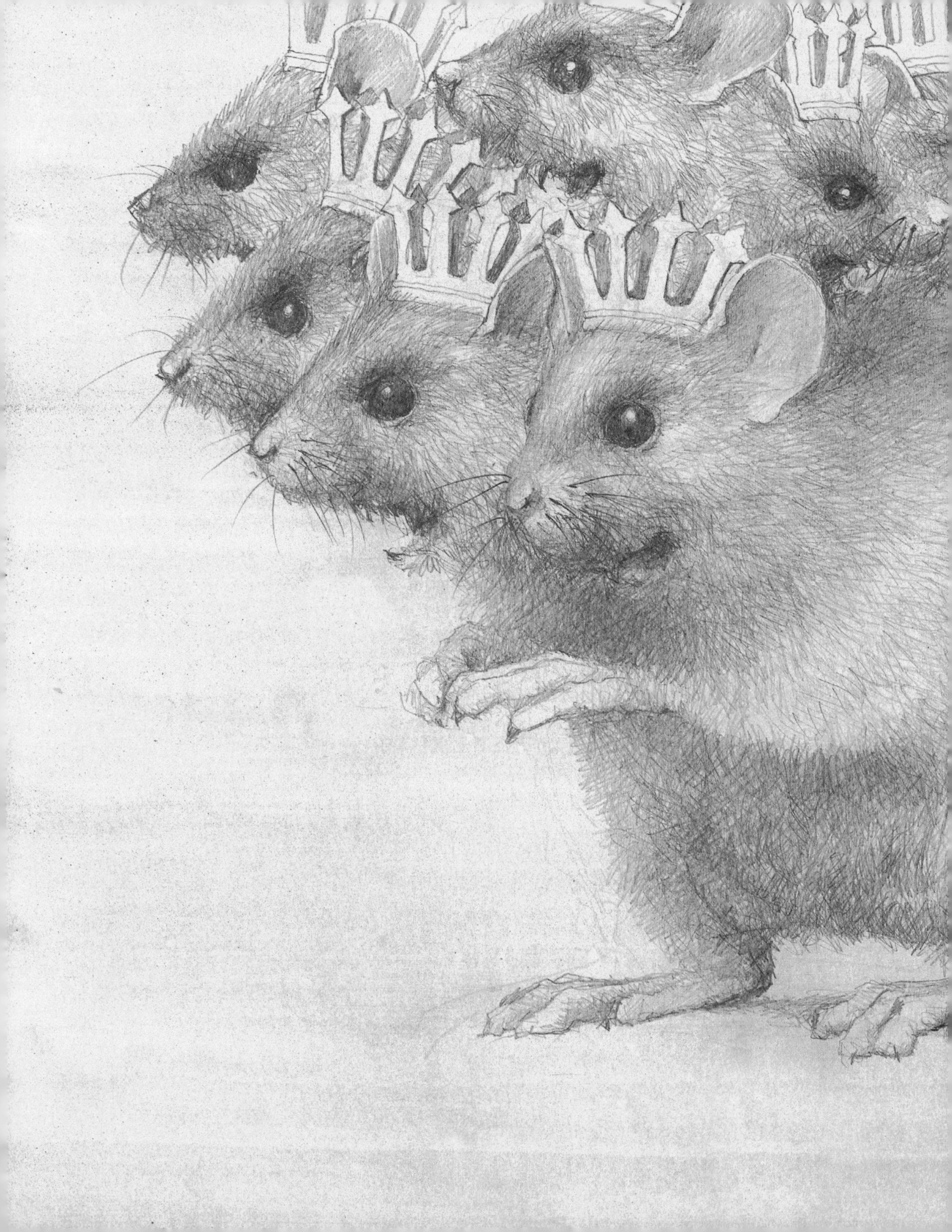

ГЛАВА 11

Победа

Прошло немного времени, и как-то лунной ночью Мари разбудило странное постукивание, которое, казалось, шло из угла, словно там перебрасывали и катали камешки, а по временам слышался противный визг и писк.

– Ай, мыши, мыши, опять тут мыши! – в испуге закричала Мари и хотела уже разбудить мать, но слова застряли у неё в горле.

Она не могла даже шевельнуться, потому что увидела, как из дыры в стене с трудом вылез мышиный король и, сверкая глазами и коронами, принялся шмыгать по всей комнате; вдруг он одним прыжком вскочил на столик, стоявший у самой кроватки Мари.

– Хи-хи-хи! Отдай мне все драже, весь марципан, глупышка, не то я загрызу твоего Щелкунчика, загрызу Щелкунчика! – пищал мышиный король и при этом противно скрипел и скрежетал зубами, а потом быстро скрылся в дырку в стене.

Мари так напугало появление страшного мышиного короля, что наутро она совсем осунулась и от волнения не могла вымолвить ни слова. Сто раз собиралась она рассказать матери, Луизе или хотя бы Фрицу о том, что с ней приключилось, но думала: «Разве мне кто-нибудь поверит? Меня просто поднимут на смех».

Однако ей было совершенно ясно, что ради спасения Щелкунчика она должна будет отдать драже и марципан. Поэтому вечером она положила все свои конфеты на нижний выступ шкафа. Наутро мать сказала:

– Не знаю, откуда взялись мыши у нас в гостиной. Взгляни-ка, Мари, они у тебя, бедняжки, все конфеты поели.

Так оно и было. Марципан с начинкой не понравился прожорливому мышиному королю, но он так обглодал его острыми зубками, что остатки пришлось выбросить. Мари нисколько не жалела о сластях: в глубине души она радовалась, так как думала, что спасла Щелкунчика. Но что она почувствовала, когда на следующую ночь у неё над самым ухом раздался писк и визг! Ах, мышиный король был тут как тут, и ещё отвратительнее, чем в прошлую ночь, сверкали у него глаза, и ещё противнее пропищал он сквозь зубы:

– Отдай мне твоих сахарных куколок, глупышка, не то я загрызу твоего Щелкунчика, загрызу Щелкунчика!

И с этими словами страшный мышиный король исчез.

Мари была очень огорчена. На следующее утро она подошла к шкафу и печально поглядела на сахарных и адрагантовых куколок. И горе её было понятно, ведь ты не поверишь, внимательная моя слушательница Мари, какие расчудесные сахарные фигурки были у Мари Штальбаум: премиленькие пастушок с пастушкой пасли стадо белоснежных барашков, а рядом резвилась их собачка; тут же стояли два почтальона с письмами в руках и четыре очень миловидные пары – щеголеватые юноши и разряженные в пух и прах девушки – качались на русских качелях. Потом шли танцоры, за ними стояли Пахтер Фельдкюммель с Орлеанской девственницей, которых Мари не очень-то ценила, а совсем в уголке стоял краснощёкий младенец – любимец Мари... Слёзы брызнули у неё из глаз.

– Ах, милый господин Дроссельмейер, – воскликнула она, обращаясь к Щелкунчику, – чего я только не сделаю, лишь бы спасти вам жизнь, но, ах, как это тяжело!

Однако у Щелкунчика был такой жалобный вид, что Мари, которой и без того чудилось, будто мышиный король разинул все свои семь пастей и хочет проглотить несчастного юношу, решила пожертвовать ради него всем.

Итак, вечером она поставила всех сахарных куколок на нижний выступ шкафа, куда до того клала сласти. Поцеловала пастуха, пастушку, овечек; последним достала она из уголка своего любимца – краснощёкого младенца – и поставила его позади всех других куколок. Фельдкюммель и Орлеанская девственница попали в первый ряд.

– Нет, это уж слишком! – воскликнула на следующее утро госпожа Штальбаум. – Видно, в стеклянном шкафу хозяйничает большая, прожорливая мышь: у бедняжки Мари погрызены и обглоданы все хорошенькие сахарные куколки!

Мари, правда, не могла удержаться и заплакала, но скоро улыбнулась сквозь слёзы, потому что подумала: «Что же делать, зато Щелкунчик цел!»

Вечером, когда мать рассказывала господину Дроссельмейеру про то, что натворила мышь в шкафу у детей, отец воскликнул:

– Что за гадость! Никак не удаётся извести мерзкую мышь, которая хозяйничает в стеклянном шкафу и поедает у бедной Мари все сласти.

– Вот что, – весело сказал Фриц, – внизу, у булочника, есть прекрасный серый советник посольства. Я заберу его к нам наверх: он быстро покончит с этим делом и отгрызёт мыши голову, будь то хоть сама Мышильда или её сын, мышиный король.

– А заодно будет прыгать на столы и стулья и перебьёт стаканы и чашки, и вообще с ним беды не оберёшься! – смеясь закончила мать.

– Да нет же! – возразил Фриц. – Этот советник посольства – ловкий малый. Мне бы хотелось так ходить по крыше, как он!

– Нет уж, пожалуйста, не нужно кота на ночь, – просила Луиза, не терпевшая кошек.

– Собственно говоря, Фриц прав, – сказал отец. – А пока можно поставить мышеловку. Есть у нас мышеловки?

– Крёстный сделает нам отличную мышеловку: ведь он же их изобрёл! – закричал Фриц.

Все рассмеялись, а когда госпожа Штальбаум сказала, что в доме нет ни одной мышеловки, Дроссельмейер заявил, что у него их несколько, и, действительно, сейчас же велел принести из дому отличную мышеловку.

Сказка крёстного о твёрдом орехе ожила для Фрица и Мари. Когда кухарка поджаривала сало, Мари бледнела и дрожала. Всё ещё поглощённая сказкой с её чудесами, она как-то даже сказала кухарке Доре, своей давней знакомой:

– Ах, ваше величество королева, берегитесь Мышильды и её родни!

А Фриц обнажил саблю и заявил:

– Пусть только придут, уж я им задам!

Но и под плитой и на плите всё было спокойно. Когда же старший советник суда привязал кусочек сала на тонкую ниточку и осторожно поставил мышеловку к стеклянному шкафу, Фриц воскликнул:

– Берегись, крёстный-часовщик, как бы мышиный король не сыграл с тобой злой шутки!

Ах, каково пришлось бедной Мари на следующую ночь! У неё по руке бегали ледяные лапки, и что-то шершавое и противное прикоснулось к щеке и запищало и завизжало прямо в ухо. На плече у неё сидел противный мышиный король; из семи его разверстых пастей текли кроваво-красные слюни, и, скрежеща зубами, он прошипел на ухо оцепеневшей от ужаса Мари:

– Я ускользну – я в щель шмыгну, под пол юркну, не трону сала, ты так и знай. Давай, давай картинки, платьице сюда, не то беда,

предупреждаю: Щелкунчика поймаю и искусаю... Хи-хи!.. Пи-пи!.. Квик-квик!

Мари очень опечалилась, а когда наутро мать сказала: «А гадкая мышь всё ещё не попалась!» – Мари побледнела и встревожилась, а мама подумала, что девочка грустит о сластях и боится мыши.

– Полно, успокойся, деточка, – сказала она, – мы прогоним гадкую мышь! Не помогут мышеловки – пускай тогда Фриц приносит своего серого советника посольства.

Как только Мари осталась в гостиной одна, она подошла к стеклянному шкафу и, рыдая, заговорила со Щелкунчиком:

– Ах, милый, добрый господин Дроссельмейер! Что могу сделать для вас я, бедная, несчастная девочка? Ну, отдам я на съедение противному мышиному королю все свои книжки с картинками, отдам даже красивое новое платьице, которое подарил мне младенец Христос, но ведь он будет требовать с меня ещё и ещё, так что под конец у меня ничего не останется и он, пожалуй, захочет загрызть и меня вместо вас. Ах я бедная, бедная девочка! Ну что мне делать, что мне делать?!

Пока Мари так горевала и плакала, она заметила, что у Щелкунчика на шее с прошлой ночи осталось большое кровавое пятно. С тех пор как Мари узнала, что Щелкунчик на самом деле молодой Дроссельмейер, племянник советника суда, она перестала носить его и баюкать, перестала ласкать и целовать, и ей даже было как-то неловко слишком часто до него дотрагиваться, но на этот раз она бережно достала Щелкунчика с полки и принялась заботливо оттирать носовым платком кровавое пятно на шее. Но как оторопела она, когда вдруг ощутила, что дружок Щелкунчик у неё в руках потеплел и шевельнулся! Быстро поставила она его обратно на полку. Тут губы у него приоткрылись, и Щелкунчик с трудом пролепетал:

– О бесценная мадемуазель Штальбаум, верная моя подруга, сколь многим я вам обязан! Нет, не приносите в жертву ради меня книжки с картинками, праздничное платьице – раздобудьте мне саблю... Саблю! Об остальном позабочусь я сам, даже будь он...

Тут речь Щелкунчика прервалась, и его глаза, только что светившиеся глубокой печалью, снова померкли и потускнели. Мари ни

капельки не испугалась, напротив того – она запрыгала от радости. Теперь она знала, как спасти Щелкунчика, не принося дальнейших тяжёлых жертв. Но где достать для человечка саблю?

Мари решила посоветоваться с Фрицем, и вечером, когда родители ушли в гости и они вдвоём сидели в гостиной у стеклянного шкафа, она рассказала брату всё, что приключилось с ней из-за Щелкунчика и мышиного короля и от чего теперь зависит спасение Щелкунчика.

Больше всего огорчило Фрица, что его гусары плохо вели себя во время боя, как это выходило по рассказу Мари. Он очень серьёзно переспросил её, так ли оно было на самом деле, и, когда Мари дала ему честное слово, Фриц быстро подошёл к стеклянному шкафу, обратился к гусарам с грозной речью, а затем в наказание за себялюбие и трусость срезал у них у всех кокарды с шапок и запретил им в течение года играть лейб-гусарский марш. Покончив с наказанием гусар, он обратился к Мари:

– Я помогу Щелкунчику достать саблю: только вчера я уволил в отставку с пенсией старого кирасирского полковника, и, значит, его прекрасная, острая сабля ему больше не нужна.

Упомянутый полковник проживал на выдаваемую ему Фрицем пенсию в дальнем углу, на третьей полке. Фриц достал его оттуда, отвязал и впрямь щегольскую серебряную саблю и надел её Щелкунчику.

На следующую ночь Мари не могла сомкнуть глаз от тревоги и страха. В полночь ей послышалась в гостиной какая-то странная суматоха – звяканье и шорох. Вдруг раздалось: «Квик!»

– Мышиный король! Мышиный король! – крикнула Мари и в ужасе соскочила с кровати.

Всё было тихо, но вскоре кто-то осторожно постучал в дверь и послышался тоненький голосок:

– Бесценная мадемуазель Штальбаум, откройте дверь и ничего не бойтесь! Добрые, радостные вести.

Мари узнала голос молодого Дроссельмейера, накинула юбочку и быстро отворила дверь. На пороге стоял Щелкунчик с окровавленной саблей в правой руке, с зажжённой восковой свечкой –

в левой. Увидев Мари, он тотчас же опустился на одно колено и заговорил так:

– О прекрасная дама! Вы одна вдохнули в меня рыцарскую отвагу и придали мощь моей руке, дабы я поразил дерзновенного, который посмел оскорбить вас. Коварный мышиный король повержен и купается в собственной крови! Соблаговолите милостиво принять трофеи из рук преданного вам до гробовой доски рыцаря.

С этими словами миленький Щелкунчик очень ловко стряхнул семь золотых корон мышиного короля, которые он нанизал на левую руку, и подал Мари, принявшей их с радостью.

Щелкунчик встал и продолжал так:

– Ах, моя бесценнейшая мадемуазель Штальбаум! Какие диковинки мог бы я показать вам теперь, когда враг повержен, если бы вы соблаговолили пройти за мною хоть несколько шагов! О, сделайте, сделайте это, дорогая мадемуазель!

ГЛАВА 12

Кукольное царство

Я думаю, дети, всякий из вас, ни минуты не колеблясь, последовал бы за честным, добрым Щелкунчиком, у которого не могло быть ничего дурного на уме. А уж Мари и подавно, – ведь она знала, что вправе рассчитывать на величайшую благодарность со стороны Щелкунчика, и была убеждена, что он сдержит слово и покажет ей много диковинок. Вот потому она и сказала:

– Я пойду с вами, господин Дроссельмейер, но только недалеко и ненадолго, так как я совсем ещё не выспалась.

– Тогда, – ответил Щелкунчик, – я выберу кратчайшую, хотя и не совсем удобную дорогу.

Он пошёл вперёд. Мари – за ним. Остановились они в передней, у старого огромного платяного шкафа. Мари с удивлением заметила, что дверцы, обычно запертые на замок, распахнуты; ей хорошо было видно отцовскую дорожную лисью шубу, которая висела у самой дверцы. Щелкунчик очень ловко вскарабкался по выступу шкафа и резьбе и схватил большую кисть, болтавшуюся на толстом шнуре сзади на шубе. Он изо всей силы дёрнул кисть, и тотчас из рукава шубы спустилась изящная лесенка кедрового дерева.

– Не угодно ли вам подняться, драгоценнейшая мадемуазель Мари? – спросил Щелкунчик.

Мари так и сделала. И не успела она подняться через рукав, не успела выглянуть из-за воротника, как ей навстречу засиял ослепительный свет и она очутилась на прекрасном благоуханном лугу, который весь искрился, словно блестящими драгоценными камнями.

– Мы на Леденцовом лугу, – сказал Щелкунчик. – А сейчас пройдём в те ворота.

Только теперь, подняв глаза, заметила Мари красивые ворота, возвышавшиеся в нескольких шагах от неё посреди луга; казалось, что они сложены из белого и коричневого, испещрённого крапинками мрамора. Когда же Мари подошла поближе, она увидела, что это не мрамор, а миндаль в сахаре и изюм, почему и ворота, под которыми они прошли, назывались, по уверению Щелкунчика, Миндально-Изюмными воротами. Простой народ весьма неучтиво называл их воротами обжор-студентов. На боковой галерее этих ворот, по-видимому сделанной из ячменного сахара, шесть обезьянок в красных куртках составили замечательный военный оркестр, который играл так хорошо, что Мари, сама того не замечая, шла всё дальше и дальше по мраморным плитам, прекрасно сделанным из сахара, сваренного с пряностями.

Вскоре её овеяли сладостные ароматы, которые струились из чудесной рощицы, раскинувшейся по обеим сторонам. Тёмная листва блестела и искрилась так ярко, что ясно видны были золотые и серебряные плоды, висевшие на разноцветных стеблях, и банты, и букеты цветов, украшавшие стволы и ветви, словно весёлых жениха и невесту и свадебных гостей. При каждом дуновении зефира, напоённого благоуханием апельсинов, в ветвях и листве подымался шелест, а золотая мишура хрустела и трещала, словно ликующая музыка, которая увлекала сверкающие огоньки, и они плясали и прыгали.

– Ах, как здесь чудесно! – воскликнула восхищённая Мари.

– Мы в Рождественском лесу, любезная мадемуазель, – сказал Щелкунчик.

– Ах, как бы мне хотелось побыть здесь! Тут так чудесно! – снова воскликнула Мари.

Щелкунчик ударил в ладоши, и тотчас же явились крошечные пастухи и пастушки, охотники и охотницы, такие нежные и белые, что можно было подумать, будто они из чистого сахара. Хотя они и гуляли по лесу, Мари их раньше почему-то не заметила. Они принесли чудо какое хорошенькое золотое кресло, положили на него белую подушку из пастилы и очень любезно пригласили Мари сесть. И сейчас же пастухи и пастушки исполнили прелестный балет, а охотники тем временем весьма искусно трубили в рога. Затем все скрылись в кустарнике.

– Простите, дорогая мадемуазель Штальбаум, – сказал Щелкунчик, – простите за такие жалкие танцы. Но это танцоры из нашего кукольного балета – они только и знают, что повторять одно и то же, а то, что охотники так сонно и лениво трубили в трубы, тоже имеет свои причины. Бонбоньерки на ёлках хотя и висят у них перед самым носом, но слишком высоко. А теперь не угодно ли вам пожаловать дальше?

– Да что вы, балет был просто прелесть какой и мне очень понравился! – сказала Мари, вставая и следуя за Щелкунчиком.

Они шли вдоль ручья, бегущего с нежным журчанием и лепетом и наполнявшего своим чу́дным благоуханием весь лес.

– Это Апельсинный ручей, – ответил Щелкунчик на расспросы Мари, – но, если не считать его прекрасного аромата, он не может сравниться ни по величине, ни по красоте с Лимонадной рекой, которая подобно ему вливается в Озеро миндального молока.

И в самом деле, вскоре Мари услыхала более громкий плеск и журчание и увидела широкий лимонадный поток, который катил свои гордые светло-жёлтые волны среди сверкающих, как изумруды, кустов. Необыкновенно бодрящей прохладой, услаждающей грудь и сердце, веяло от прекрасных вод. Неподалёку медленно текла тёмно-жёлтая река, распространявшая необычайно сладкое благоухание, а на берегу сидели красивые детки, которые удили маленьких толстых рыбок и тут же поедали их. Подойдя ближе, Мари заметила, что рыбки были похожи на

ломбардские орехи. Немножко подальше на берегу раскинулась очаровательная деревушка. Дома, церковь, дом пастора, амбары были тёмно-коричневые с золотыми кровлями; а многие стены были расписаны так пёстро, словно на них налепили миндалины и лимонные цукаты.

– Это село Пряничное, – сказал Щелкунчик, – расположенное на берегу Медовой реки. Народ в нём живёт красивый, но очень сердитый, так как все там страдают зубной болью. Лучше мы туда не пойдём.

В то же мгновение Мари заметила красивый городок, в котором все дома сплошь были пёстрые и прозрачные. Щелкунчик направился прямо туда, и вот Мари услышала беспорядочный весёлый гомон и увидела тысячу хорошеньких человечков, которые разбирали и разгружали доверху нагруженные телеги, теснившиеся на базаре. А то, что они доставали, напоминало пёстрые, разноцветные бумажки и плитки шоколада.

– Мы в Конфетенхаузене, – сказал Щелкунчик, – сейчас как раз прибыли посланцы из Бумажного королевства и от шоколадного короля. Не так давно бедным конфетенхаузенцам угрожала армия комариного адмирала; поэтому они покрывают свои дома дарами Бумажного государства и возводят укрепления из прочных плит, присланных шоколадным королём. Но, бесценная мадемуазель Штальбаум, мы не можем посетить все городки и деревушки страны – в столицу, в столицу!

Щелкунчик заторопился дальше, а Мари, сгорая от нетерпения, не отставала от него. Вскоре повеяло дивным благоуханием роз, и всё словно озарилось нежно мерцающим розовым сиянием. Мари заметила, что это был отблеск розово-алых вод, со сладостно-мелодичным звуком плескавшихся и журчавших у её ног. Волны всё прибывали и прибывали и наконец превратились в большое прекрасное озеро, по которому плавали чудесные серебристо-белые лебеди с золотыми ленточками на шее и пели прекрасные песни, а бриллиантовые рыбки, словно в весёлой пляске, ныряли и кувыркались в розовых волнах.

– Ах, – в восторге воскликнула Мари, – да ведь это же то самое озеро, что как-то пообещал мне сделать крёстный! А я – та

самая девочка, что должна была забавляться с миленькими лебедями.

Щелкунчик улыбнулся так насмешливо, как ещё ни разу не улыбался, а потом сказал:

– Дяде никогда не смастерить ничего подобного. Скорее вы, милая мадемуазель Штальбаум... Но стоит ли над этим раздумывать! Лучше переправимся по Розовому озеру на ту сторону, в столицу.

ГЛАВА 13

Столица

Щелкунчик снова захлопал в ладоши. Розовое озеро зашумело сильнее, выше заходили волны, и Мари увидела вдали двух золоточешуйчатых дельфинов, впряжённых в раковину, сиявшую яркими, как солнце, драгоценными камнями. Двенадцать очаровательных арапчат в шапочках и передничках, сотканных из радужных пёрышек колибри, соскочили на берег и, легко скользя по волнам, перенесли сперва Мари, а потом Щелкунчика в раковину, которая сейчас же понеслась по озеру.

Ах, как чудно было плыть в раковине, овеваемой благоуханием роз и омываемой розовыми волнами! Золоточешуйчатые дельфины подняли морды и принялись выбрасывать хрустальные струи высоко вверх, а когда эти струи ниспадали с вышины сверкающими и искрящимися дугами, чудилось, будто поют два прелестных, нежно-серебристых голоска:

«Кто озером плывёт? Фея вод! Комарики, ду-ду-ду! Рыбки, плеск-плеск! Лебеди, блеск-блеск! Чудо-птичка, тра-ла-ла! Волны, пойте, вея, млея, – к нам плывёт по розам фея; струйка резвая, взметнись – к солнцу, ввысь!»

Но двенадцати арапчатам, вскочившим сзади в раковину, видимо, совсем не нравилось пение водных струй. Они так трясли своими зонтиками, что листья финиковых пальм, из которых те были сплетены, мялись и гнулись, а арапчата отбивали ногами какой-то неведомый такт и пели:

«Топ-и-тип и тип-и-топ, хлоп-хлоп-хлоп! Мы по водам хороводом! Птички, рыбки – на прогулку, вслед за раковиной гулкой! Топ-и-тип и тип-и-топ, хлоп-хлоп-хлоп!»

– Арапчата – очень весёлый народ, – сказал несколько смущённый Щелкунчик, – но как бы они не взбаламутили мне всё озеро!

И правда, вскоре раздался громкий гул: удивительные голоса, казалось, плыли над озером. Но Мари не обращала на них внимания, – она смотрела в благоуханные волны, откуда ей улыбались прелестные девичьи лица.

– Ах, – радостно закричала она, хлопая в ладошки, – поглядите-ка, милый господин Дроссельмейер: там принцесса Пирлипат! Она так ласково мне улыбается... Да поглядите же, милый господин Дроссельмейер!

Но Щелкунчик печально вздохнул и сказал:

– О бесценная мадемуазель Штальбаум, это не принцесса Пирлипат, это вы. Только вы сами, только ваше собственное прелестное личико ласково улыбается из каждой волны.

Тогда Мари быстро отвернулась, крепко зажмурила глаза и совсем сконфузилась. В то же мгновение двенадцать арапчат подхватили её и отнесли из раковины на берег. Она очутилась в небольшом лесочке, который был, пожалуй, ещё прекраснее, чем Рождественский лес, так всё тут сияло и искрилось; особенно замечательны были редкостные плоды, висевшие на деревьях, редкостные не только по окраске, но и по дивному благоуханию.

– Мы в Цукатной роще, – сказал Щелкунчик, – а вон там – столица.

Ах, что же увидала Мари! Как мне описать вам, дети, красоту и великолепие представшего перед глазами Мари города, который широко раскинулся на усеянной цветами роскошной поляне? Он блистал не только радужными красками стен и башен, но и причудливой формой строений, совсем непохожих на обычные дома. Вместо крыш их осеняли искусно сплетённые венки, а башни были

увиты такими прелестными пёстрыми гирляндами, что и представить себе нельзя.

Когда Мари и Щелкунчик проходили через ворота, которые, казалось, были сооружены из миндального печенья и цукатов, серебряные солдатики взяли на караул, а человечек в парчовом шлафроке обнял Щелкунчика со словами:

– Добро пожаловать, любезный принц! Добро пожаловать в Конфетенбург!

Мари очень удивилась, что такой знатный вельможа называет господина Дроссельмейера принцем. Но тут до них донёсся гомон тоненьких голосков, шумно перебивавших друг друга, долетели звуки ликования и смеха, пение и музыка, и Мари, позабыв обо всём, сейчас же спросила Щелкунчика, что это.

– О любезная мадемуазель Штальбаум, – ответил Щелкунчик, – дивиться тут нечему: Конфетенбург – многолюдный, весёлый город, тут каждый день веселье и шум. Будьте любезны, пойдёмте дальше.

Через несколько шагов они очутились на большой, удивительно красивой базарной площади. Все дома были украшены сахарными галереями ажурной работы. Посередине, как обелиск, возвышался глазированный сладкий пирог, осыпанный сахаром, а вокруг из четырёх искусно сделанных фонтанов били вверх струи лимонада, оршада и других вкусных прохладительных напитков. Бассейн был полон сбитых сливок, которые так и хотелось зачерпнуть ложкой. Но прелестнее всего были очаровательные человечки, во множестве толпившиеся тут. Они веселились, смеялись, шутили и пели; это их весёлый гомон Мари слышала ещё издали.

Тут были нарядно разодетые кавалеры и дамы, армяне и греки, евреи и тирольцы, офицеры и солдаты, и монахи, и пастухи, и паяцы – словом, всякий люд, какой только встречается на белом свете. В одном месте на углу поднялся страшный гвалт: народ кинулся врассыпную, потому что как раз в это время проносили в паланкине Великого Могола, сопровождаемого девяноста тремя вельможами и семьюстами невольниками. Но надо же было случиться, что на

другом углу цех рыбаков, в количестве пятисот человек, устроил торжественное шествие, а, на беду, турецкому султану как раз вздумалось проехаться в сопровождении трёх тысяч янычар по базару; к тому же прямо на сладкий пирог надвигалась со звонкой музыкой и пением: «Слава могучему солнцу, слава!» – процессия «прерванного торжественного жертвоприношения». Ну и поднялись же сумятица, толкотня и визг! Вскоре послышались стоны, так как в суматохе какой-то рыбак сшиб голову брамину, а Великого Могола чуть было не задавил паяц. Шум становился всё бешеней и бешеней, уже начались толкотня и драка, но тут человек в парчовом шлафроке, тот самый, что у ворот приветствовал Щелкунчика в качестве принца, взобрался на пирог и, трижды дёрнув звонкий колокольчик, трижды громко крикнул: «Кондитер! Кондитер! Кондитер!» Сутолока мигом улеглась; всякий спасался как мог, и, после того как распутались спутавшиеся шествия, когда вычистили перепачкавшегося Великого Могола и снова насадили голову брамину, опять пошло прерванное шумное веселье.

– В чём тут дело с кондитером, любезный господин Дроссельмейер? – спросила Мари.

– Ах, бесценная мадемуазель Штальбаум, кондитером здесь называют неведомую, но очень страшную силу, которая, по здешнему поверью, может сделать с человеком всё, что ей вздумается, – ответил Щелкунчик, – это тот рок, который властвует над этим весёлым народцем, и жители так его боятся, что одним упоминанием его имени можно угомонить самую большую сутолоку, как это сейчас доказал господин бургомистр. Тогда никто уже не помышляет о земном, о тумаках и шишках на лбу, всякий погружается в себя и говорит: «Что есть человек и во что он может превратиться?»

Громкий крик удивления – нет, крик восторга вырвался у Мари, когда она вдруг очутилась перед замком с сотней воздушных башенок, светившимся розово-алым сиянием. Там и сям по стенам были рассыпаны роскошные букеты фиалок, нарциссов, тюльпанов, левкоев, которые оттеняли ослепительную, отливающую алым светом белизну фона. Большой купол центрального здания и остроконечные крыши башен были усеяны тысячами звёздочек, сверкающих золотом и серебром.

– Вот мы и в Марципановом замке, – сказал Щелкунчик.

Мари не отрывала глаз от волшебного дворца, но всё же она заметила, что на одной большой башне не хватает крыши, над восстановлением которой, по-видимому, трудились человечки, стоявшие на помосте из корицы. Не успела она задать вопрос Щелкунчику, как он сказал:

– Совсем недавно замку грозила большая беда, а может быть, и полное разорение. Великан Сладкоежка проходил мимо. Быстро откусил он крышу вон с той башни и принялся уже за большой купол, но жители Конфетенбурга умилостивили его, поднеся в виде выкупа четверть города и значительную часть Цукатной рощи. Он закусил ими и отправился дальше.

Вдруг тихо зазвучала очень приятная, нежная музыка. Ворота замка распахнулись, и оттуда вышли двенадцать крошек пажей с зажжёнными факелами из стеблей гвоздики в ручках. Головы у них были из жемчужин, туловища – из рубинов и изумрудов, а передвигались они на золотых ножках искусной работы. За ними следовали четыре дамы почти такого же роста, как Клерхен, в необыкновенно роскошных и блестящих нарядах; Мари мигом признала в них прирождённых принцесс. Они нежно обняли Щелкунчика и при этом воскликнули с искренней радостью:

– О принц, дорогой принц! Дорогой братец!

Щелкунчик совсем растрогался: он утирал часто набегавшие на глаза слёзы, затем взял Мари за руку и торжественно объявил:

– Вот мадемуазель Мари Штальбаум, дочь весьма достойного советника медицины и моя спасительница. Не брось она в нужную минуту туфельку, не добудь она мне саблю вышедшего на пенсию полковника, меня загрыз бы противный мышиный король и я лежал бы уже в могиле. О мадемуазель Штальбаум! Может ли сравниться с ней по красоте, достоинству и добродетели Пирлипат, несмотря на то что та – прирождённая принцесса? Нет, говорю я, нет!

Все дамы воскликнули: «Нет!» – и, рыдая, принялись обнимать Мари.

– О благородная спасительница нашего возлюбленного царственного брата! О несравненная мадемуазель Штальбаум!

Затем дамы отвели Мари и Щелкунчика в покои замка, в зал, стены которого сплошь были сделаны из переливающегося всеми цветами радуги хрусталя. Но что понравилось Мари больше всего, это расставленные там хорошенькие стульчики, комодики, секретеры, изготовленные из кедра и бразильского дерева, с инкрустированными золотыми цветами.

Принцессы уговорили Мари и Щелкунчика присесть и сказали, что они сейчас же собственноручно приготовят им угощение. Они тут же достали разные горшочки и мисочки из тончайшего японского фарфора, ложки, ножи, вилки, тёрки, кастрюльки и прочую золотую и серебряную кухонную утварь. Затем они принесли такие чудесные плоды и сласти, каких Мари и не видывала, и очень грациозно принялись выжимать прелестными белоснежными ручками фруктовый сок, толочь пряности, тереть сладкий миндаль – словом, принялись так славно хозяйничать, что Мари поняла, какие они искусницы в кулинарном деле и какое роскошное угощение ожидает её. Прекрасно сознавая, что тоже кое-что в этом понимает, Мари втайне желала сама принять участие в занятии принцесс. Самая красивая из сестёр Щелкунчика, словно угадав тайное желание Мари, протянула ей маленькую золотую ступку и сказала:

– Милая моя подружка, бесценная спасительница брата, потолки немножко карамелек.

Пока Мари весело стучала пестиком, так что ступка звенела мелодично и приятно, не хуже прелестной песенки, Щелкунчик начал подробно рассказывать о страшной битве с полчищами мышиного короля, о том, как он потерпел поражение из-за трусости своих войск, как потом противный мышиный король во что бы то ни стало хотел загрызть его, как Мари пришлось пожертвовать многими его подданными, которые были у неё на службе…

Во время рассказа Мари чудилось, будто слова Щелкунчика и даже её собственные удары пестиком звучат всё глуше, всё невнятнее, и вскоре глаза ей застлала серебряная пелена – словно поднялись лёгкие клубы тумана, в которые погрузились принцессы... пажи... Щелкунчик... она сама... Где-то что-то шелестело, журчало и пело; странные звуки растворялись вдали. Вздымающиеся волны несли Мари всё выше и выше... выше и выше... выше и выше...

ГЛАВА 14

Заключение

Тара-ра-бух! – и Мари упала с неимоверной высоты. Вот это был толчок! Но Мари тут же открыла глаза. Она лежала у себя в постельке. Было совсем светло, а около стояла мама и говорила:
– Ну можно ли так долго спать! Завтрак давно на столе.

Мои глубокоуважаемые слушатели, вы, конечно, уже поняли, что Мари, ошеломлённая всеми виденными чудесами, в конце концов заснула в зале Марципанового замка и что арапчата или пажи, а может быть, и сами принцессы отнесли её домой и уложили в постельку.

– Ах, мамочка, милая моя мамочка, где только я не побывала этой ночью с молодым господином Дроссельмейером! Каких только чудес не насмотрелась!

И она рассказала всё почти так же подробно, как только что рассказал я, а мама слушала и удивлялась.

Когда Мари окончила, мать сказала:

– Тебе, милая Мари, приснился длинный прекрасный сон. Но выкинь всё это из головы.

Мари упрямо твердила, что видела всё не во сне, а наяву. Тогда мать подвела её к стеклянному шкафу, вынула Щелкунчика, который, как всегда, стоял на второй полке, и сказала:

– Ах ты глупышка, откуда ты взяла, что деревянная нюрнбергская кукла может говорить и двигаться?

– Но, мамочка, – перебила её Мари, – я ведь знаю, что крошка Щелкунчик – молодой господин Дроссельмейер из Нюрнберга, племянник крёстного!

Тут оба – и папа и мама – громко расхохотались.

– Ах, теперь ты, папочка, смеёшься над моим Щелкунчиком, – чуть не плача, продолжала Мари, – а он так хорошо отзывался о тебе! Когда мы пришли в Марципановый замок, он представил меня принцессам – своим сёстрам и сказал, что ты весьма достойный советник медицины!

Хохот только усилился, и теперь к родителям присоединились Луиза и даже Фриц. Тогда Мари побежала в другую комнату, быстро достала из своей шкатулочки семь корон мышиного короля и подала их матери со словами:

– Вот, мамочка, посмотри: вот семь корон мышиного короля, которые прошлой ночью поднёс мне в знак своей победы молодой господин Дроссельмейер!

Мама с удивлением разглядывала крошечные короны из какого-то незнакомого, очень блестящего металла и такой тонкой работы, что едва ли это могло быть делом рук человеческих. Господин Штальбаум тоже не мог насмотреться на короны. Затем и отец и мать строго потребовали, чтобы Мари призналась, откуда у неё коронки, но она стояла на своём.

Когда отец стал её журить и даже обозвал лгуньей, она горько разрыдалась и стала жалобно приговаривать:

– Ах я бедная, бедная! Ну что мне делать?

Но тут вдруг открылась дверь, и вошёл крёстный.

– Что случилось? Что случилось? – спросил он. – Моя крестница Марихен плачет и рыдает? Что случилось? Что случилось?

Папа рассказал ему, что случилось, и показал крошечные короны. Старший советник суда, как только увидел их, рассмеялся и воскликнул:

– Глупые выдумки, глупые выдумки! Да ведь это же коронки, которые я когда-то носил на цепочке от часов, а потом подарил

Марихен в день её рождения, когда ей минуло два года! Разве вы позабыли?

Ни отец, ни мать не могли этого припомнить.

Когда Мари убедилась, что лица у родителей опять стали ласковыми, она подскочила к крёстному и воскликнула:

– Крёстный, ведь ты же всё знаешь! Скажи, что мой Щелкунчик – твой племянник, молодой господин Дроссельмейер из Нюрнберга, и что он подарил мне эти крошечные короны.

Крёстный нахмурился и пробормотал:

– Глупые выдумки!

Тогда отец отвёл маленькую Мари в сторону и сказал очень строго:

– Послушай, Мари, оставь раз навсегда выдумки и глупые шутки! И если ты ещё раз скажешь, что уродец Щелкунчик – племянник твоего крёстного, я выброшу за окно не только Щелкунчика, но и всех остальных кукол, не исключая и мамзель Клерхен.

Теперь бедняжка Мари, разумеется, не смела и заикнуться о том, что переполняло ей сердце; ведь вы понимаете, что не так-то легко было Мари забыть все прекрасные чудеса, приключившиеся с ней. Даже, уважаемый читатель или слушатель, Фриц, даже твой товарищ Фриц Штальбаум сейчас же поворачивался спиной к сестре, как только она собиралась рассказать о чудесной стране, где ей было так хорошо. Говорят, что порой он даже бормотал сквозь зубы: «Глупая девчонка!» Но, издавна зная его добрый нрав, я никак не могу этому поверить; во всяком случае, доподлинно известно, что, не веря больше ни слову в рассказах Мари, он на публичном параде формально извинился перед своими гусарами за причинённую обиду, приколол им вместо утраченных знаков отличия ещё более высокие и пышные султаны из гусиных перьев и снова разрешил трубить лейб-гусарский марш. Ну а мы-то знаем, какова была отвага гусар, когда отвратительные пули насажали им на красные мундиры пятна.

Говорить о своём приключении Мари больше не смела, но волшебные образы сказочной страны не оставляли её. Она слышала нежный шелест, ласковые, чарующие звуки; она видела всё сно-

ва, как только начинала об этом думать, и, вместо того чтобы играть, как бывало раньше, могла часами сидеть смирно и тихо, уйдя в себя, – вот почему все теперь звали её маленькой мечтательницей.

Раз как-то случилось, что крёстный чинил часы у Штальбаумов. Мари сидела около стеклянного шкафа и, грезя наяву, глядела на Щелкунчика. И вдруг у неё вырвалось:

– Ах, милый господин Дроссельмейер, если бы вы на самом деле жили, я не отвергла бы вас, как принцесса Пирлипат, за то, что из-за меня вы потеряли свою красоту!

Советник суда тут же крикнул:

– Ну, ну, глупые выдумки!

Но в то же мгновение раздался такой грохот и треск, что Мари без чувств свалилась со стула. Когда она очнулась, мать хлопотала около неё и говорила:

– Ну можно ли падать со стула? Такая большая девочка! Из Нюрнберга сейчас приехал племянник господина старшего советника суда, будь умницей.

Она подняла глаза: крёстный снова нацепил свой стеклянный парик, надел жёлтый сюртучок и довольно улыбался, а за руку он держал, правда, маленького, но очень складного молодого человека, белого и румяного как кровь с молоком, в великолепном красном, шитом золотом кафтане, в туфлях и белых шёлковых чулках. К его жабо был приколот прелесть какой хорошенький букетик, волосы были тщательно завиты и напудрены, а вдоль спины спускалась превосходная коса. Крошечная шпага у него на боку так и сверкала, словно вся усеянная драгоценными камнями, под мышкой он держал шёлковую шляпу.

Молодой человек проявил свой приятный нрав и благовоспитанность, подарив Мари целую кучу чудесных игрушек и прежде всего – вкусный марципан и куколок взамен тех, что погрыз мышиный король, а Фрицу – замечательную саблю. За столом

любезный юноша щёлкал всей компании орешки. Самые твёрдые были ему нипочём; правой рукой он совал их в рот, левой дёргал себя за косу, и – щёлк! – скорлупа разлеталась на мелкие кусочки.

Мари вся зарделась, когда увидела учтивого юношу, а когда после обеда молодой Дроссельмейер предложил ей пройти в гостиную, к стеклянному шкафу, она стала пунцовой.

– Ступайте, ступайте играть, дети, только смотрите не ссорьтесь. Теперь, когда все часы у меня в порядке, я ничего не имею против! – напутствовал их старший советник суда.

Как только молодой Дроссельмейер очутился наедине с Мари, он опустился на одно колено и повёл такую речь:

– О бесценная мадемуазель Штальбаум, взгляните: у ваших ног – счастливый Дроссельмейер, которому на этом самом месте вы спасли жизнь. Вы изволили вымолвить, что не отвергли бы меня, как гадкая принцесса Пирлипат, если бы из-за вас я стал уродом. Тотчас же я перестал быть жалким Щелкунчиком и обрёл мою былую, не лишённую приятности наружность. О превосходная мадемуазель Штальбаум, осчастливьте меня вашей достойной рукой! Разделите со мной корону и трон, будем царствовать вместе в Марципановом замке.

Мари подняла юношу с колен и тихо сказала:

– Милый господин Дроссельмейер! Вы кроткий, добросердечный человек, да к тому же ещё царствуете в прекрасной стране, населённой прелестным весёлым народцем, – ну разве могу я не согласиться, чтобы вы были моим женихом!

И Мари тут же стала невестой Дроссельмейера. Рассказывают, что через год он увёз её в золотой карете, запряжённой серебряными лошадьми, что на свадьбе у них плясали двадцать две тысячи нарядных кукол, сверкающих бриллиантами и жемчугом, а Мари, как говорят, ещё и поныне королева в стране, где, если только у тебя есть глаза, ты всюду увидишь сверкающие цукатные рощи, прозрачные марципановые замки – словом, всякие чудеса и диковинки.

Вот вам сказка про Щелкунчика и мышиного короля.

Литературно-художественное издание

Для старшего школьного возраста

ГОФМАН Эрнст Теодор Амадей

ЩЕЛКУНЧИК и МЫШИНЫЙ КОРОЛЬ

Сказка

Перевод с немецкого
И. Татариновой

Ответственный редактор *М. Теплова*
Художественный редактор *Е. Соколов*
Технический редактор *С. Грачёва*
Корректор *Е. Туманова*
Верстка *А. Тарасова*

Подписано в печать 25.07.2016. Формат 84×100 $^{1}/_{16}$.
Бумага офсетная. Гарнитура «CharterITC». Печать офсетная. Усл. печ. л. 14,04.
Тираж 10 000 экз. D-ING-19067-01-R. Заказ № ВЗК-03292-16.

ООО «Издательская Группа «Азбука-Аттикус» —
обладатель товарного знака Machaon
119334, Москва, 5-й Донской проезд, д. 15, стр. 4
Тел. (495) 933-76-01, факс (495) 933-76-19
E-mail: sales@atticus-group.ru

Филиал ООО «Издательская Группа «Азбука-Аттикус» в г. Санкт-Петербурге
191123, Санкт-Петербург, Воскресенская набережная, д. 12, лит. А
Тел. (812) 327-04-55
E-mail: trade@azbooka.spb.ru

ЧП «Издательство «Махаон-Украина»
04073, Киев, Московский проспект, д. 6, 6-й этаж
Тел./факс (044) 490-99-01
e-mail: sale@machaon.kiev.ua

ЧП «Издательство «Махаон»
61070, Харьков, ул. Ак. Проскуры, д. 1
Тел. (057) 315-15-64, 315-25-81
e-mail: machaon@machaon.kharkov.ua

www.azbooka.ru; www.atticus-group.ru

Отпечатано в АО «Первая Образцовая типография»,
филиал «Дом печати - ВЯТКА»
610033, г. Киров, ул. Московская, 122.

Знак информационной продукции
(Федеральный закон № 436-ФЗ
от 29.12.2010 г.)

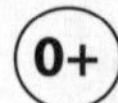